D0893091

COLLINS

POCKET GERMAN VERB TABLES

HarperCollins*Publishers*

First published in this edition 1994

ISBN 0 00 470153-4

---

editors
Ilse MacLean
Lorna Sinclair-Knight

editorial staff
Horst Kopleck, Megan Thomson

editorial management
Vivian Marr

A catalogue record for this book is available from the British Library

Typeset by Morton Word Processing Ltd, Scarborough

Printed in Great Britain by HarperCollins Manufacturing, Glasgow

INTRODUCTION

Your **Collins Pocket German Verb Tables** is a handy quick-reference guide to one of the most important aspects of the German language. All the essential information about German verbs and how to use them is covered and the innovative use of colour throughout the text makes learning verb endings and irregularities easy – and fast!

The book is divided into three sections. The first section gives a detailed explanation of all the tenses the reader will need to learn for all types of verb, whether weak, strong or mixed, along with instructions on how to form the present participle, the past participle and the imperative. Compound tenses are explained in full, as is the use of the passive voice. Separable and inseparable verbs are dealt with and verbal prefixes listed. Examples of reflexive verbs are given as well as verbs followed by prepositions, and there is an outline of the verb's position in the clause.

The second section – the main part of the book – shows, in alphabetical order, 200 useful German verbs in their most commonly used tenses. Each verb is clearly laid out across the page with the learning points highlighted in colour – no more searching for where the stem ends and the ending begins. You can see at a glance which verb ending to use for which tense and which person, as well as whether the verb is weak or strong and which auxiliary verb it uses to form its compound tenses.

Finally, the third section of the book is an alphabetical reference list of over 2,000 common verbs, each with a number referring the reader to a verb pattern in the main verb tables.

CONTENTS

Glossary

auxiliary verbs: **haben, sein, werden**, used to form compound tenses

compound tense: formed with the auxiliary verbs **haben, sein**, or **werden**, like English compound tenses formed with "have", "shall", "will" *etc*

ending: a suffix showing the tense and person of the verb

infinitive: the base form of the verb, found in dictionary entries; the infinitive ends in **-en**

inseparable verbs have a prefix which cannot be separated from the main verb

mixed verbs have a vowel change but add weak verb endings in the imperfect indicative tense and in the past participle, e.g. brennen → br**a**nn**te** → gebr**a**nn**t**

modal verbs: a set of six irregular verbs used to express permission, ability, wish, obligation and necessity

separable verbs have a prefix which is separated from the main verb in certain positions in the sentence

simple tense: formed by adding endings to a verb stem

stem: the basic part of the verb, formed from the infinitive by dropping the **-en**

strong verbs have a vowel change in their imperfect indicative, and sometimes in the past participle, e.g. singen → s**a**ng → ges**u**ng**en**. Their past participle ends in **-en**

weak verbs form their imperfect indicative by adding endings to stem, e.g. holen → hol**te**. They form their past participle with the prefix **ge-** and the ending **-t**, e.g. holen → **ge**hol**t**

The German Verb

German has two main types of verb: WEAK verbs and STRONG verbs. The infinitive gives no help in deciding if a verb is weak or strong. It is best therefore to approach each verb individually, learning its infinitive, the 3rd person singular of its present and imperfect indicative tenses and its past participle: **geben, gibt, gab, gegeben**.
Weak verbs are, with only a few exceptions, regular, forming their tenses according to the patterns outlined below.
Strong verbs change their vowel in the imperfect tense, and sometimes also in the past participle and certain parts of their present tense. Rules for their conjugation in all tenses are also given below, and each strong verb is clearly conjugated in its most widely used tenses in the main Verb Tables.

Simple tenses

Weak verbs

The example used throughout these tables is the verb **holen** (to fetch).

Present indicative (I fetch/am fetching/do fetch)

sing 1st	stem + **-e**	ich hol**e**
2nd	" + **-st**	du hol**st**
3rd	" + **-t**	er hol**t**
pl 1st	" + **-en**	wir hol**en**
2nd	" + **-t**	ihr hol**t**
3rd	" + **-en**	sie hol**en**

Imperfect indicative (I fetched/was fetching/used to fetch)

sing 1st	stem + **-te**	ich hol**te**
2nd	" + **-test**	du hol**test**
3rd	" + **-te**	er hol**te**
pl 1st	" + **-ten**	wir hol**ten**
2nd	" + **-tet**	ihr hol**tet**
3rd	" + **-ten**	sie hol**ten**

Present participle (fetching)	**Past participle** (fetched)
infinitive + **-d**: hol**end**	**ge-** + stem + **-t**: **ge**hol**t**

Imperative (fetch!)

sing	stem (+ **-e**)	hol(**e**)!
1st pl	" + **-en wir**	hol**en wir**!
2nd pl	" + **-t**	hol**t**!
polite	" + **-en Sie**	hol**en Sie**!

The exclamation mark is compulsory in German.

Present subjunctive

sing 1st	stem + **-e**	ich hol**e**
2nd	" + **-est**	du hol**est**
3rd	" + **-e**	er hol**e**
pl 1st	" + **-en**	wir hol**en**
2nd	" + **-et**	ihr hol**et**
3rd	" + **-en**	sie hol**en**

Imperfect subjunctive

sing 1st	stem + **-te**	ich hol**te**
2nd	" + **-test**	du hol**test**
3rd	" + **-te**	er hol**te**
pl 1st	" + **-ten**	wir hol**ten**
2nd	" + **-tet**	ihr hol**tet**
3rd	" + **-ten**	sie hol**ten**

The Subjunctive in indirect speech

In indirect or reported speech subjunctive forms should be used. Where the present subjunctive form is like the normal present indicative a different tense is used, giving a mixture of present and imperfect subjunctive.

sing 1st	stem + **-te**	man sagt,	ich hol**te**
2nd	" + -est	" "	du holest
3rd	" + -e	" "	er hole
pl 1st	" + **-ten**	" "	wir hol**ten**
2nd	" + -et	" "	ihr holet
3rd	" + **-ten**	" "	sie hol**ten**

Weak verbs: regular spelling variants

Where adding the endings to the stem makes the verb difficult to pronounce, an extra **-e** is added between the stem and the ending. This is particularly the case where the stem ends in **-d**, **-t**, **-m** or **-n** preceded by a consonant other than **-l**, **-r** or **-h**:

	reden (to talk)	– er red**e**t, er red**e**te
	arbeiten (to work)	– er arbeit**e**t, er arbeit**e**te
	rechnen (to count)	– er rechn**e**t, er rechn**e**te
BUT:	lernen (to learn)	– er lernt, er lernte

Where the stem ends in **-ß**, **-s** or **-z**, only **-t** is added to form the 2nd person singular of the present indicative active:

	heizen (to heat)	– du heiz**t**
	reisen (to travel)	– du reis**t**
	spritzen (to inject)	– du spritz**t**
BUT:	waschen (to wash)	– du wäsch**st**

Infinitive: reden (to talk)

Present indicative (I talk/am talking/do talk)

sing 1st	stem	+ **-e**	ich red**e**
2nd	"	+ **-est**	du red**est**
3rd	"	+ **-et**	er red**et**
pl 1st	"	+ **-en**	wir red**en**
2nd	"	+ **-et**	ihr red**et**
3rd	"	+ **-en**	sie red**en**

Imperfect indicative (I talked/was talking/used to talk)

sing 1st	stem	+ **-ete**	ich red**ete**
2nd	"	+ **-etest**	du red**etest**
3rd	"	+ **-ete**	er red**ete**
pl 1st	"	+ **-eten**	wir red**eten**
2nd	"	+ **-etet**	ihr red**etet**
3rd	"	+ **-eten**	sie red**eten**

Present participle (talking)	**Past participle** (talked)
infinitive + **-d**: rede**nd**	**ge-** + stem + **-et**: **ge**rede**t**

Imperative (talk!)

sing	stem (+ **-e**)	red(**e**)!
1st pl	" + **-en wir**	rede**n wir**!
2nd pl	" + **-et**	rede**t**!
polite	" + **-en Sie**	rede**n Sie**!

Present subjunctive

sing 1st	stem + **-e**	ich rede
2nd	" + **-est**	du red**est**
3rd	" + **-e**	er rede
pl 1st	" + **-en**	wir rede**n**
2nd	" + **-et**	ihr rede**t**
3rd	" + **-en**	sie rede**n**

Imperfect subjunctive

sing 1st	stem + **-ete**	ich red**ete**
2nd	" + **-etest**	du red**etest**
3rd	" + **-ete**	er red**ete**
pl 1st	" + **-eten**	wir red**eten**
2nd	" + **-etet**	ihr red**etet**
3rd	" + **-eten**	sie red**eten**

The Subjunctive in indirect speech (See also p 6)

Because of the extra **-e** in the present indicative, the present indicative resembles the present subjunctive for all persons except the third person singular for these verbs, and the imperfect subjunctive is therefore used in these persons, as follows:

sing 1st	stem + **-ete**	ich red**ete**
2nd	" + **-etest**	du red**etest**
3rd	" + -e	er rede
pl 1st	" + **-eten**	wir red**eten**
2nd	" + **-etet**	ihr red**etet**
3rd	" + **-eten**	sie red**eten**

Strong verbs

Strong verbs change their vowel to form the imperfect tense, and they take different endings from weak verbs in this tense.
The imperfect subjunctive also has different endings, and the vowel is modified if possible (**er sang/er sänge**).
The past participle is formed by adding the prefix **ge-** and the ending **-en**, and often the vowel is changed here too (**singen/gesungen**).
Some verbs also take a different vowel or modify the existing vowel for the 2nd and 3rd persons singular in their present indicative, and in the singular imperative. Some present tense vowel patterns for such verbs are: **e** → **i** (geben – er g**i**bt); **au** → **äu** (l**au**fen – er l**äu**ft); **e** → **ie** (lesen – er l**ie**st); **o** → **ö** (stoßen – er st**ö**ßt); **a** → **ä** (fahren – er f**ä**hrt).
The simplest and most reliable course is to refer to each verb individually, using the tables beginning on page 24.
The following is the pattern for a strong verb whose vowel changes in both the imperfect and past participle, but not in the present indicative:

Infinitive: singen (to sing)

Present indicative (I sing/am singing/do sing)

sing 1st	stem + **-e**	ich sing**e**
2nd	” + **-st**	du sing**st**
3rd	” + **-t**	er sing**t**
pl 1st	” + **-en**	wir sing**en**
2nd	” + **-t**	ihr sing**t**
3rd	” + **-en**	sie sing**en**

Imperfect indicative (I sang/was singing/used to sing)

sing 1st	**sang** + **-**	ich **sang**
2nd	**sang** + **-st**	du **sangst**
3rd	**sang** + **-**	er **sang**
pl 1st	**sang** + **-en**	wir **sangen**
2nd	**sang** + **-t**	ihr **sangt**
3rd	**sang** + **-en**	sie **sangen**

Present participle (singing)
infinitive + **-d**: singen**d**

Past participle (sung)
ge- + sung + -en: gesungen

Imperative (sing!)

sing	stem (+ **-e**)	sing(**e**)!
1st pl	" + **-en wir**	singen **wir**!
2nd pl	" + **-t**	sing**t**!
polite	" + **-en Sie**	singen **Sie**!

Present subjunctive

sing 1st	stem + **-e**	ich sing**e**
2nd	" + **-est**	du sing**est**
3rd	" + **-e**	er sing**e**
pl 1st	" + **-en**	wir sing**en**
2nd	" + **-et**	ihr sing**et**
3rd	" + **-en**	sie sing**en**

Imperfect subjunctive

sing 1st	**sang** + **¨-e**	ich s**ä**ng**e**
2nd	" + **¨-est**	du s**ä**ng**est**
3rd	" + **¨-e**	er s**ä**ng**e**
pl 1st	" + **¨-en**	wir s**ä**ng**en**
2nd	" + **¨-et**	ihr s**ä**ng**et**
3rd	" + **¨-en**	sie s**ä**ng**en**

The Subjunctive in indirect speech (See p 6)

sing 1st	**sang** + **¨-e**	ich s**ä**ng**e**
2nd	stem + **-est**	du sing**est**
3rd	stem + **-e**	er sing**e**
pl 1st	**sang** + **¨-en**	wir s**ä**ng**en**
2nd	stem + **-et**	ihr sing**et**
3rd	**sang** + **¨-en**	sie s**ä**ng**en**

The nine mixed verbs

brennen	**kennen**	**senden**
bringen	**nennen**	**wenden**
denken	**rennen**	**wissen**

These verbs have a vowel change in the imperfect and past participle, but take weak verb endings:
brennen: er **brannte**, er hat **gebrannt**

Bringen and **denken** also have a consonant change:

bringen: er bra**cht**e, er hat gebra**cht**
denken: er da**cht**e, er hat geda**cht**

The imperfect subjunctive form of these verbs should be noted especially.

A mixed verb

Infinitive: **brennen** (to burn)

Present indicative (I burn/am burning/do burn)

sing 1st	stem + **-e**	ich **brenne**
2nd	" + **-st**	du **brennst**
3rd	" + **-t**	er **brennt**
pl 1st	" + **-en**	wir **brennen**
2nd	" + **-t**	ihr **brennt**
3rd	" + **-en**	sie **brennen**

Imperfect indicative (I burned/was burning/used to burn)

sing 1st	brann + **-te**	ich **brannte**
2nd	brann + **-test**	du **branntest**
3rd	brann + **-te**	er **brannte**
pl 1st	brann + **-ten**	wir **brannten**
2nd	brann + **-tet**	ihr **branntet**
3rd	brann + **-ten**	sie **brannten**

Present participle (burning)
infinitive + **-d**: brenn**end**

Past participle (burned)
ge- + brann + -t: gebrannt

Imperative (burn!)

sing	stem (+ **-e**)	brenn(**e**)!
1st pl	" + **-en wir**	brenn**en wir**!
2nd pl	" + **-t**	brenn**t**!
polite	" + **-en Sie**	brenn**en Sie**!

Present subjunctive

sing 1st	stem + **-e**	ich brenn**e**
2nd	" + **-est**	du brenn**est**
3rd	" + **-e**	er brenn**e**
pl 1st	" + **-en**	wir brenn**en**
2nd	" + **-et**	ihr brenn**et**
3rd	" + **-en**	sie brenn**en**

Imperfect subjunctive

sing 1st	stem + **-te**	ich brenn**te**
2nd	" + **-test**	du brenn**test**
3rd	" + **-te**	er brenn**te**
pl 1st	" + **-ten**	wir brenn**ten**
2nd	" + **-tet**	ihr brenn**tet**
3rd	" + **-ten**	sie brenn**ten**

The Subjunctive in indirect speech (See p 6)

sing 1st	stem + **-te**	ich brenn**te**
2nd	" + **-est**	du brenn**est**
3rd	" + **-e**	er brenn**e**
pl 1st	" + **-ten**	wir brenn**ten**
2nd	" + **-et**	ihr brenn**et**
3rd	" + **-ten**	sie brenn**ten**

Compound tenses

In German, compound tenses are formed in exactly the same way for all verbs, whether strong, weak or mixed. They are formed by using the appropriate tense of an auxiliary verb plus the infinitive or past participle. For the future tenses the auxiliary is always **werden**; for the past tenses it is usually **haben**, but some verbs, especially those expressing change of place or condition, take **sein** instead.
The infinitive or past participle usually comes at the end of a clause. In the tables below, suspension points represent the rest of the clause or sentence (see p 23).

Past tenses

The tables below illustrate these for a verb taking **haben** (**holen** – on the left) and one that takes **sein** (**reisen** – on the right).

Perfect infinitive

haben + past participle	**sein** + past participle
geholt haben (to have fetched)	**gereist sein** (to have travelled)

Perfect indicative (I (have) fetched/travelled)

present indicative of **haben/sein** + past participle	
ich **habe** .... **geholt**	ich **bin** .... **gereist**
du **hast** .... **geholt**	du **bist** .... **gereist**
er **hat** .... **geholt**	er **ist** .... **gereist**
wir **haben** .... **geholt**	wir **sind** .... **gereist**
ihr **habt** .... **geholt**	ihr **seid** .... **gereist**
sie **haben** .... **geholt**	sie **sind** .... **gereist**

Perfect subjunctive

present subjunctive of **haben/sein** + past participle	
ich **habe** .... **geholt**	ich **sei** .... **gereist**
du **habest** .... **geholt**	du **sei(e)st** ...... **gereist**
er **habe** .... **geholt**	er **sei** .... **gereist**
wir **haben** .... **geholt**	wir **seien** .... **gereist**
ihr **habet** .... **geholt**	ihr **seiet** .... **gereist**
sie **haben** .... **geholt**	sie **seien** .... **gereist**

Pluperfect indicative (I had fetched/travelled)

imperfect indicative of **haben/sein** + past participle	
ich **hatte** .... **geholt**	ich **war** .... **gereist**
du **hattest** .... **geholt**	du **warst** .... **gereist**
er **hatte** .... **geholt**	er **war** .... **gereist**
wir **hatten** .... **geholt**	wir **waren** .... **gereist**
ihr **hattet** .... **geholt**	ihr **wart** .... **gereist**
sie **hatten** .... **geholt**	sie **waren** .... **gereist**

Pluperfect subjunctive (used as conditional perfect tense – see p 15)

imperfect subjunctive of **haben/sein** + past participle	
ich **hätte** .... **geholt**	ich **wäre** .... **gereist**
du **hättest** .... **geholt**	du **wär(e)st** ..... **gereist**
er **hätte** .... **geholt**	er **wäre** .... **gereist**
wir **hätten** .... **geholt**	wir **wären** .... **gereist**
ihr **hättet** .... **geholt**	ihr **wär(e)t** ...... **gereist**
sie **hätten** .... **geholt**	sie **wären** .... **gereist**

Future and related tenses

Future indicative (I shall fetch/travel)

present indicative of **werden** + infinitive	
ich **werde** .... **holen**	ich **werde** .... **reisen**
du **wirst** .... **holen**	du **wirst** .... **reisen**
er **wird** .... **holen**	er **wird** .... **reisen**
wir **werden** .... **holen**	wir **werden** .... **reisen**
ihr **werdet** .... **holen**	ihr **werdet** .... **reisen**
sie **werden** .... **holen**	sie **werden** .... **reisen**

Future subjunctive

present subjunctive of **werden** + infinitive	
ich **werde** .... **holen**	ich **werde** .... **reisen**
du **werdest** .... **holen**	du **werdest** ...... **reisen**
er **werde** .... **holen**	er **werde** .... **reisen**
wir **werden** .... **holen**	wir **werden** .... **reisen**
ihr **werdet** .... **holen**	ihr **werdet** .... **reisen**
sie **werden** .... **holen**	sie **werden** .... **reisen**

Future perfect indicative (I shall have fetched/travelled)

present indicative of **werden** + perfect infinitive	
ich **werde** ... **geholt haben**	ich **werde** .... **gereist sein**
du **wirst** .... **geholt haben**	du **wirst** ..... **gereist sein**
er **wird** ..... **geholt haben**	er **wird** ..... **gereist sein**
wir **werden** .. **geholt haben**	wir **werden** ... **gereist sein**
ihr **werdet** ... **geholt haben**	ihr **werdet** ... **gereist sein**
sie **werden** .. **geholt haben**	sie **werden** ... **gereist sein**

Conditional (I would fetch/travel)

imperfect subjunctive of **werden** + infinitive	
ich **würde** .... **holen**	ich **würde** .... **reisen**
du **würdest** ...... **holen**	du **würdest** ...... **reisen**
er **würde** .... **holen**	er **würde** .... **reisen**
wir **würden** .... **holen**	wir **würden** .... **reisen**
ihr **würdet** .... **holen**	ihr **würdet** .... **reisen**
sie **würden** .... **holen**	sie **würden** .... **reisen**

Conditional perfect* (I would have fetched/travelled)

imperfect subjunctive of **werden** + perfect infinitive	
ich **würde** ... **geholt haben**	ich **würde** .... **gereist sein**
du **würdest** .. **geholt haben**	du **würdest** ... **gereist sein**
er **würde** ... **geholt haben**	er **würde** .... **gereist sein**
wir **würden** .. **geholt haben**	wir **würden** ... **gereist sein**
ihr **würdet** ... **geholt haben**	ihr **würdet** ... **gereist sein**
sie **würden** .. **geholt haben**	sie **würden** ... **gereist sein**

*This is not a commonly used tense in German, being rather clumsy. It is usual to use the pluperfect subjunctive wherever a conditional perfect is needed.
Thus: ich hätte es geholt – I would have fetched it
ich wäre gereist – I would have travelled.

The passive voice

German uses passive tenses much less than English. A passive in German is often expressed by the alternative "**man**" construction in which an active verb is used. Thus: **man holt ihn um sieben Uhr ab** (he is picked up at seven o'clock).
The "**man**" construction is almost always used to replace really unwieldy passive tenses, e.g. the future perfect passive.

Present passive infinitive

past participle + **werden**
geholt werden (to be fetched)

Perfect passive infinitive

past participle + **worden** + **sein**
geholt worden sein (to have been fetched)

Present passive (I am fetched/am being fetched)

Indicative	Subjunctive
present indicative of **werden** + past participle	present subjunctive of **werden** + past participle
ich **werde** .... **geholt** du **wirst** .... **geholt** er **wird** .... **geholt** wir **werden** .... **geholt** ihr **werdet** .... **geholt** sie **werden** .... **geholt**	ich **werde** .... **geholt** du **werdest** ...... **geholt** er **werde** .... **geholt** wir **werden** .... **geholt** ihr **werdet** .... **geholt** sie **werden** .... **geholt**
OR man holt mich/dich *etc*	*OR* man hole mich/dich *etc*

Imperfect passive (I was fetched/was being fetched)

Indicative	Subjunctive
imperfect indicative of **werden** + past participle	imperfect subjunctive of **werden** + past participle
ich **wurde** .... **geholt** du **wurdest** ...... **geholt** er **wurde** .... **geholt** wir **wurden** ...... **geholt** ihr **wurdet** .... **geholt** sie **wurden** ...... **geholt**	ich **würde** .... **geholt** du **würdest** ...... **geholt** er **würde** .... **geholt** wir **würden** ...... **geholt** ihr **würdet** .... **geholt** sie **würden** ...... **geholt**
OR man holte mich/dich *etc*	*OR* man holte mich/dich *etc*

Perfect passive (I was fetched/have been fetched)

Indicative	Subjunctive
present indicative of **sein** + past participle + **worden**	present subjunctive of **sein** + past participle + **worden**
ich **bin** .... **geholt worden** du **bist** .... **geholt worden** *etc*	ich **sei** ..... **geholt worden** du **sei(e)st** . . **geholt worden** *etc*
OR man hat mich/dich geholt *etc*	*OR* man habe mich/dich geholt *etc*

Pluperfect passive (I had been fetched)

Indicative	Subjunctive
imperfect indicative of **sein** + past participle + **worden**	imperfect subjunctive of **sein** + past participle + **worden**
ich **war** .... **geholt worden** du **warst** . . **geholt worden** *etc*	ich **wäre** .... **geholt worden** du **wär(e)st** . **geholt worden** *etc*
OR man hatte mich/dich geholt *etc*	*OR* man hätte mich/dich geholt *etc*

Future passive (I shall be fetched)

Indicative	Subjunctive
present indicative of **werden** + present passive infinitive	present subjunctive of **werden** + present passive infinitive
ich **werde** ... **geholt werden** *OR* man wird mich holen	ich **werde** ... **geholt werden** *OR* man werde mich holen

Future perfect passive (I shall have been fetched)

Indicative
present indicative of **werden** + perfect passive infinitive
ich **werde geholt worden sein** *OR* man wird mich geholt haben

Subjunctive
present subjunctive of **werden** + perfect passive infinitive
ich **werde geholt worden sein** *OR* man werde mich geholt haben

Conditional passive (I would be fetched)

imperfect subjunctive of **werden** + present passive infinitive
ich **würde geholt werden** *OR* man würde mich holen

Conditional perfect passive (I would have been fetched)

imperfect subjunctive of **werden** + perfect passive infinitive
ich **würde geholt worden sein** *OR* man würde mich geholt haben. (BUT less clumsy would be to use the pluperfect subjunctive of **holen**.)

Separable and Inseparable verbs

Verbs with prefixes are either "separable" or "inseparable". Separable prefixes are stressed (**an**ziehen), inseparable prefixes are not (ent**kommen**).
A variable prefix is one which can be used to form either separable or inseparable verbs (**wieder**kehren, wieder**hol**en).
A list of prefixes is given on p 20.

In main clauses, the prefix of a **separable** verb is separated from the main verb in all tenses except the infinitive and the past participle. The past participle is formed by inserting **ge-** between the past participle of the main verb and the prefix, to form one word (an**ge**zogen, teil**ge**nommen), e.g. from **anrufen** (to telephone):

er **ruft** um neun Uhr **an**
er **rief** gestern **an**
er **hat** um neun Uhr an**ge**rufen

Verbs with **inseparable** prefixes have no **ge-** in the past participle (**entdeckt, verschwunden**), and the prefix is never separated from the main verb stem, e.g. from **bestellen** (to order):

er **bestellt** ein Buch
er **bestellte** es gestern
er **hat** es gestern **bestellt**

Verbs ending in "-ieren"

These are often foreign borrowings, and behave like inseparable verbs in that they have no **ge-** in the past participle:
e.g. **telefonieren** → *ptp* **telefoniert**
interessieren → *ptp* **interessiert**

Verbal prefixes

Separable prefixes:

ab-	heran-	hinunter-
an-	herauf-	hinweg-
auf-	heraus-	hoch-
aus-	herbei-	los-
bei-	herein-	mit-
da-	herüber-	nach-
ein-	herum-	nieder-
empor-	herunter-	voll-
entgegen-	hervor-	vor-
fehl-	hierher-	voran-
fest-	hin-	vorbei-
fort-	hinab-	vorüber-
frei-	hinauf-	weg-
gegen-	hinaus-	zu-
gleich-	hindurch-	zurecht-
her-	hinein-	zurück-
herab-	hinüber-	zusammen-

A separable prefix can also be another verb or noun: **spazieren**|gehen, **teil**|nehmen.

Inseparable prefixes:

be-	ge-
emp-	miß-
ent-	ver-
er-	zer-

Variable prefixes:

durch-	unter-
hinter-	voll-
über-	wider-
um-	wieder-

Reflexive verbs

Reflexive verbs should be learned with their preceding pronoun **sich** (oneself/to oneself). However, the reflexive pronoun does not always have a direct equivalent in English:
sich erinnern (to remember).
Reflexive verbs are always conjugated with **haben**.

The reflexive pronoun can be either the direct object (and therefore in the accusative) or the indirect object (and therefore in the dative).
The following are examples of reflexive verbs that take an accusative and a dative pronoun respectively:

Present indicative

sich erinnern (to remember)	**sich erlauben** (to allow oneself)
ich erinnere **mich** du erinnerst **dich** er erinnert **sich** wir erinnern **uns** ihr erinnert **euch** sie erinnern **sich**	ich erlaube **mir** du erlaubst **dir** er erlaubt **sich** wir erlauben **uns** ihr erlaubt **euch** sie erlauben **sich**

Imperfect indicative

ich erinnerte **mich** du erinnertest **dich** *etc*	ich erlaubte **mir** du erlaubtest **dir** *etc*

Perfect indicative

ich habe **mich** . . . erinnert du hast **dich** . . . erinnert *etc*	ich habe **mir** . . . . . erlaubt du hast **dir** . . . . . . erlaubt *etc*

Future indicative

ich werde **mich** . . erinnern du wirst **dich** . . . erinnern *etc*	ich werde **mir** . . . erlauben du wirst **dir** . . . . erlauben *etc*

Verbs followed by a preposition

Prepositions are used after many German verbs in much the same way as in English, although unfortunately the prepositions are not always the same for both languages!
Some German verbs need prepositions where none are required in English (**diskutieren über**: to discuss). Here are some common verb + preposition patterns:

abhängen von (+ *dat*) to depend on
achten auf (+ *acc*) to pay attention to
sich amüsieren über (+ *acc*) to laugh at
sich beschäftigen mit (+ *dat*) to occupy oneself with
bestehen aus (+ *dat*) to consist of
sich bewerben um (+ *acc*) to apply for
sich bewerben bei (+ *dat*) to apply to
bitten um (+ *acc*) to ask for
denken an (+ *acc*) to be thinking of
denken über (+ *acc*) to think about, hold an opinion of
diskutieren über (+ *acc*) to discuss
duften nach (+ *dat*) to smell of
sich erinnern an (+ *acc*) to remember
sich freuen auf (+ *acc*) to look forward to
sich freuen über (+ *acc*) to be pleased about
sich gewöhnen an (+ *acc*) to get used to
sich interessieren für (+ *acc*) to be interested in
kämpfen um (+ *acc*) to fight for
sich kümmern um (+ *acc*) to take care of
leiden an (+ *dat*) to suffer from
neigen zu (+ *dat*) to be inclined to
riechen nach (+ *dat*) to smell of
schmecken nach (+ *dat*) to taste of
sehnen nach (+ *dat*) to long for
sprechen mit (+ *dat*) to speak to
sterben an (+ *dat*) to die of
telefonieren mit (+ *dat*) to speak to (someone) on the phone
sich verabschieden von (+ *dat*) to say goodbye to
warten auf (+ *acc*) to wait for
zittern vor (+ *dat*) to tremble with

The position of the verb in the clause

In **main clauses** beginning with a subject and verb, the order is as in English:
Ich gehe ins Kino I am going to the cinema.

When the verb is in a compound tense, the order is as follows:
Ich bin ins Kino gegangen I went to the cinema
Er wird Deutsch lernen he will learn German.

The subject and main verb are inverted in direct questions:
Ist er krank? is he ill?
Hast du es getan? have you done it?
and when something other than the subject and verb begins the main clause:
Den Mann kannte sie nicht she didn't know the/that man
Morgen gehe ich ins Kino I'm going to the cinema tomorrow.

The conjunctions **und**, **oder**, **allein**, **sondern** and **denn**, however, do not cause the verb and subject to invert:

... **und er ist krank** and he's ill
... **aber ich kann es nicht** but I can't do it.

In **subordinate clauses** the main verb is placed at the end:
Er kommt nicht, **weil er kein Geld hat**
he isn't coming because he has no money
Ich weiß, **daß du es hast**
I know (that) you have it.

Separable prefixes (see p 19) are placed at the end of a main clause, but in subordinate clauses the prefix and verb are reunited as one word at the end of the clause:
... **obwohl er ankommt** although he's coming
... **als er aufstand** when he got up.

Modal verbs (see p 4) used with an infinitive behave just like any verb in main and subordinate clauses:
Er möchte gehen he would like to go
... **weil er es kaufen wollte** because he wanted to buy it.

1 **annehmen** [strong, separable, *haben*]

to accept

PRESENT PARTICIPLE	*PAST PARTICIPLE*
annehmen**d**	**angenommen**

PRESENT INDICATIVE		*PRESENT SUBJUNCTIVE*	
ich	nehm**e** an	**ich**	nehm**e** an
du	**nimmst** an	**du**	nehm**est** an
er	**nimmt** an	**er**	nehm**e** an
wir	nehm**en** an	**wir**	nehm**en** an
ihr	nehm**t** an	**ihr**	nehm**et** an
sie	nehm**en** an	**sie**	nehm**en** an
IMPERFECT INDICATIVE		*IMPERFECT SUBJUNCTIVE*	
ich	**nahm** an	**ich**	**nähme** an
du	**nahmst** an	**du**	**nähmest** an
er	**nahm** an	**er**	**nähme** an
wir	**nahmen** an	**wir**	**nähmen** an
ihr	**nahmt** an	**ihr**	**nähmet** an
sie	**nahmen** an	**sie**	**nähmen** an
FUTURE INDICATIVE		*CONDITIONAL*	
ich	werde annehmen	**ich**	würde annehmen
du	wirst annehmen	**du**	würdest annehmen
er	wird annehmen	**er**	würde annehmen
wir	werden annehmen	**wir**	würden annehmen
ihr	werdet annehmen	**ihr**	würdet annehmen
sie	werden annehmen	**sie**	würden annehmen
PERFECT INDICATIVE		*PLUPERFECT SUBJUNCTIVE*	
ich	habe **angenommen**	**ich**	hätte **angenommen**
du	hast **angenommen**	**du**	hättest **angenommen**
er	hat **angenommen**	**er**	hätte **angenommen**
wir	haben **angenommen**	**wir**	hätten **angenommen**
ihr	habt **angenommen**	**ihr**	hättet **angenommen**
sie	haben **angenommen**	**sie**	hätten **angenommen**

IMPERATIVE: **nimm** an! nehm**en wir** an! nehm**t** an! nehm**en Sie** an!

to work

PRESENT PARTICIPLE	*PAST PARTICIPLE*
arbeiten**d**	**ge**arbeite**t**

PRESENT INDICATIVE		*PRESENT SUBJUNCTIVE*	
ich	arbeite	**ich**	arbeite
du	arbeit**est**	**du**	arbeit**est**
er	arbeit**et**	**er**	arbeite
wir	arbeit**en**	**wir**	arbeit**en**
ihr	arbeit**et**	**ihr**	arbeit**et**
sie	arbeit**en**	**sie**	arbeit**en**
IMPERFECT INDICATIVE		*IMPERFECT SUBJUNCTIVE*	
ich	arbeit**ete**	**ich**	arbeit**ete**
du	arbeit**etest**	**du**	arbeit**etest**
er	arbeit**ete**	**er**	arbeit**ete**
wir	arbeit**eten**	**wir**	arbeit**eten**
ihr	arbeit**etet**	**ihr**	arbeit**etet**
sie	arbeit**eten**	**sie**	arbeit**eten**
FUTURE INDICATIVE		*CONDITIONAL*	
ich	werde arbeiten	**ich**	würde arbeiten
du	wirst arbeiten	**du**	würdest arbeiten
er	wird arbeiten	**er**	würde arbeiten
wir	werden arbeiten	**wir**	würden arbeiten
ihr	werdet arbeiten	**ihr**	würdet arbeiten
sie	werden arbeiten	**sie**	würden arbeiten
PERFECT INDICATIVE		*PLUPERFECT SUBJUNCTIVE*	
ich	habe **ge**arbeite**t**	**ich**	hätte **ge**arbeite**t**
du	hast **ge**arbeite**t**	**du**	hättest **ge**arbeite**t**
er	hat **ge**arbeite**t**	**er**	hätte **ge**arbeite**t**
wir	haben **ge**arbeite**t**	**wir**	hätten **ge**arbeite**t**
ihr	habt **ge**arbeite**t**	**ihr**	hättet **ge**arbeite**t**
sie	haben **ge**arbeite**t**	**sie**	hätten **ge**arbeite**t**

IMPERATIVE: arbeit**e**! arbeit**en wir**! arbeit**et**! arbeit**en Sie**!

3 **atmen** [weak, *haben*]
to breathe

PRESENT PARTICIPLE	*PAST PARTICIPLE*
atmen**d**	**ge**atm**et**

PRESENT INDICATIVE		*PRESENT SUBJUNCTIVE*	
ich	atm**e**	**ich**	atm**e**
du	atm**est**	**du**	atm**est**
er	atm**et**	**er**	atm**e**
wir	atm**en**	**wir**	atm**en**
ihr	atm**et**	**ihr**	atm**et**
sie	atm**en**	**sie**	atm**en**

IMPERFECT INDICATIVE		*IMPERFECT SUBJUNCTIVE*	
ich	atm**ete**	**ich**	atm**ete**
du	atm**etest**	**du**	atm**etest**
er	atm**ete**	**er**	atm**ete**
wir	atm**eten**	**wir**	atm**eten**
ihr	atm**etet**	**ihr**	atm**etet**
sie	atm**eten**	**sie**	atm**eten**

FUTURE INDICATIVE		*CONDITIONAL*	
ich	werde atmen	**ich**	würde atmen
du	wirst atmen	**du**	würdest atmen
er	wird atmen	**er**	würde atmen
wir	werden atmen	**wir**	würden atmen
ihr	werdet atmen	**ihr**	würdet atmen
sie	werden atmen	**sie**	würden atmen

PERFECT INDICATIVE		*PLUPERFECT SUBJUNCTIVE*	
ich	habe **ge**atm**et**	**ich**	hätte **ge**atm**et**
du	hast **ge**atm**et**	**du**	hättest **ge**atm**et**
er	hat **ge**atm**et**	**er**	hätte **ge**atm**et**
wir	haben **ge**atm**et**	**wir**	hätten **ge**atm**et**
ihr	habt **ge**atm**et**	**ihr**	hättet **ge**atm**et**
sie	haben **ge**atm**et**	**sie**	hätten **ge**atm**et**

IMPERATIVE: atm**e**! atm**en wir**! atm**et**! atm**en Sie**!

to be enough

PRESENT PARTICIPLE	*PAST PARTICIPLE*
ausreichend	ausgereicht

PRESENT INDICATIVE

ich	reiche aus
du	reich**st** aus
er	reich**t** aus
wir	reich**en** aus
ihr	reich**t** aus
sie	reich**en** aus

PRESENT SUBJUNCTIVE

ich	reiche aus
du	reich**est** aus
er	reiche aus
wir	reich**en** aus
ihr	reich**et** aus
sie	reich**en** aus

IMPERFECT INDICATIVE

ich	reich**te** aus
du	reich**test** aus
er	reich**te** aus
wir	reich**ten** aus
ihr	reich**tet** aus
sie	reich**ten** aus

IMPERFECT SUBJUNCTIVE

ich	reich**te** aus
du	reich**test** aus
er	reich**te** aus
wir	reich**ten** aus
ihr	reich**tet** aus
sie	reich**ten** aus

FUTURE INDICATIVE

ich	werde ausreichen
du	wirst ausreichen
er	wird ausreichen
wir	werden ausreichen
ihr	werdet ausreichen
sie	werden ausreichen

CONDITIONAL

ich	würde ausreichen
du	würdest ausreichen
er	würde ausreichen
wir	würden ausreichen
ihr	würdet ausreichen
sie	würden ausreichen

PERFECT INDICATIVE

ich	habe aus**ge**reich**t**
du	hast aus**ge**reich**t**
er	hat aus**ge**reich**t**
wir	haben aus**ge**reich**t**
ihr	habt aus**ge**reich**t**
sie	haben aus**ge**reich**t**

PLUPERFECT SUBJUNCTIVE

ich	hätte aus**ge**reich**t**
du	hättest aus**ge**reich**t**
er	hätte aus**ge**reich**t**
wir	hätten aus**ge**reich**t**
ihr	hättet aus**ge**reich**t**
sie	hätten aus**ge**reich**t**

IMPERATIVE: reich(**e**) aus! reich**en wir** aus! reich**t** aus! reich**en Sie** aus!

5 **backen** [strong, *haben*]

to bake

PRESENT PARTICIPLE	*PAST PARTICIPLE*
backen**d**	**gebacken**

PRESENT INDICATIVE		*PRESENT SUBJUNCTIVE*	
ich	back**e**	**ich**	back**e**
du	**bäckst**	**du**	back**est**
er	**bäckt**	**er**	back**e**
wir	back**en**	**wir**	back**en**
ihr	back**t**	**ihr**	back**et**
sie	back**en**	**sie**	back**en**
IMPERFECT INDICATIVE		*IMPERFECT SUBJUNCTIVE*	
ich	back**te**	**ich**	back**te**
du	back**test**	**du**	back**test**
er	back**te**	**er**	back**te**
wir	back**ten**	**wir**	back**ten**
ihr	back**tet**	**ihr**	back**tet**
sie	back**ten**	**sie**	back**ten**
FUTURE INDICATIVE		*CONDITIONAL*	
ich	werde backen	**ich**	würde backen
du	wirst backen	**du**	würdest backen
er	wird backen	**er**	würde backen
wir	werden backen	**wir**	würden backen
ihr	werdet backen	**ihr**	würdet backen
sie	werden backen	**sie**	würden backen
PERFECT INDICATIVE		*PLUPERFECT SUBJUNCTIVE*	
ich	habe **gebacken**	**ich**	hätte **gebacken**
du	hast **gebacken**	**du**	hättest **gebacken**
er	hat **gebacken**	**er**	hätte **gebacken**
wir	haben **gebacken**	**wir**	hätten **gebacken**
ihr	habt **gebacken**	**ihr**	hättet **gebacken**
sie	haben **gebacken**	**sie**	hätten **gebacken**

IMPERATIVE: back(**e**)! back**en wir**! back**t**! back**en Sie**!

to command

PRESENT PARTICIPLE	*PAST PARTICIPLE*
befehlend	**befohlen**

PRESENT INDICATIVE	*PRESENT SUBJUNCTIVE*
ich befehle	**ich** befehle
du **befiehlst**	**du** befehl**est**
er **befiehlt**	**er** befehle
wir befehlen	**wir** befehlen
ihr befehlt	**ihr** befehlet
sie befehlen	**sie** befehlen
IMPERFECT INDICATIVE	*IMPERFECT SUBJUNCTIVE*
ich **befahl**	**ich** **befähle**
du **befahlst**	**du** **befählest**
er **befahl**	**er** **befähle**
wir **befahlen**	**wir** **befählen**
ihr **befahlt**	**ihr** **befählet**
sie **befahlen**	**sie** **befählen**
FUTURE INDICATIVE	*CONDITIONAL*
ich werde befehlen	**ich** würde befehlen
du wirst befehlen	**du** würdest befehlen
er wird befehlen	**er** würde befehlen
wir werden befehlen	**wir** würden befehlen
ihr werdet befehlen	**ihr** würdet befehlen
sie werden befehlen	**sie** würden befehlen
PERFECT INDICATIVE	*PLUPERFECT SUBJUNCTIVE*
ich habe **befohlen**	**ich** hätte **befohlen**
du hast **befohlen**	**du** hättest **befohlen**
er hat **befohlen**	**er** hätte **befohlen**
wir haben **befohlen**	**wir** hätten **befohlen**
ihr habt **befohlen**	**ihr** hättet **befohlen**
sie haben **befohlen**	**sie** hätten **befohlen**

IMPERATIVE: **befiehl**! befehl**en wir**! befehl**t**! befehl**en Sie**!

7 **beginnen** [strong, inseparable, *haben*]
to begin

PRESENT PARTICIPLE	*PAST PARTICIPLE*
beginnend	**begonnen**

PRESENT INDICATIVE	*PRESENT SUBJUNCTIVE*
ich beginne	**ich** beginne
du beginnst	**du** beginnest
er beginnt	**er** beginne
wir beginnen	**wir** beginnen
ihr beginnt	**ihr** beginnet
sie beginnen	**sie** beginnen
IMPERFECT INDICATIVE	*IMPERFECT SUBJUNCTIVE*
ich begann	**ich begänne**
du begannst	**du begännest**
er begann	**er begänne**
wir begannen	**wir begännen**
ihr begannt	**ihr begännet**
sie begannen	**sie begännen**
FUTURE INDICATIVE	*CONDITIONAL*
ich werde beginnen	**ich** würde beginnen
du wirst beginnen	**du** würdest beginnen
er wird beginnen	**er** würde beginnen
wir werden beginnen	**wir** würden beginnen
ihr werdet beginnen	**ihr** würdet beginnen
sie werden beginnen	**sie** würden beginnen
PERFECT INDICATIVE	*PLUPERFECT SUBJUNCTIVE*
ich habe **begonnen**	**ich** hätte **begonnen**
du hast **begonnen**	**du** hättest **begonnen**
er hat **begonnen**	**er** hätte **begonnen**
wir haben **begonnen**	**wir** hätten **begonnen**
ihr habt **begonnen**	**ihr** hättet **begonnen**
sie haben **begonnen**	**sie** hätten **begonnen**

IMPERATIVE: beginn(e)! beginnen **wir**! beginnt! beginnen **Sie**!

[strong, *haben*] **beißen** 8

to bite

PRESENT PARTICIPLE	*PAST PARTICIPLE*
beißen**d**	**gebissen**

PRESENT INDICATIVE	*PRESENT SUBJUNCTIVE*
ich beiß**e**	**ich** beiß**e**
du beiß**t**	**du** beiß**est**
er beiß**t**	**er** beiß**e**
wir beiß**en**	**wir** beiß**en**
ihr beiß**t**	**ihr** beiß**et**
sie beiß**en**	**sie** beiß**en**
IMPERFECT INDICATIVE	*IMPERFECT SUBJUNCTIVE*
ich **biß**	**ich** **bisse**
du **bissest**	**du** **bissest**
er **biß**	**er** **bisse**
wir **bissen**	**wir** **bissen**
ihr **bißt**	**ihr** **bisset**
sie **bissen**	**sie** **bissen**
FUTURE INDICATIVE	*CONDITIONAL*
ich werde beißen	**ich** würde beißen
du wirst beißen	**du** würdest beißen
er wird beißen	**er** würde beißen
wir werden beißen	**wir** würden beißen
ihr werdet beißen	**ihr** würdet beißen
sie werden beißen	**sie** würden beißen
PERFECT INDICATIVE	*PLUPERFECT SUBJUNCTIVE*
ich habe **gebissen**	**ich** hätte **gebissen**
du hast **gebissen**	**du** hättest **gebissen**
er hat **gebissen**	**er** hätte **gebissen**
wir haben **gebissen**	**wir** hätten **gebissen**
ihr habt **gebissen**	**ihr** hättet **gebissen**
sie haben **gebissen**	**sie** hätten **gebissen**

IMPERATIVE: beiß(**e**)! beiß**en wir**! beiß**t**! beiß**en Sie**!

9 **bergen** [strong, *haben*]

to salvage

PRESENT PARTICIPLE	*PAST PARTICIPLE*
bergen**d**	**geborgen**

PRESENT INDICATIVE		*PRESENT SUBJUNCTIVE*	
ich	berg**e**	**ich**	berg**e**
du	**birgst**	**du**	berg**est**
er	**birgt**	**er**	berg**e**
wir	berg**en**	**wir**	berg**en**
ihr	berg**t**	**ihr**	berg**et**
sie	berg**en**	**sie**	berg**en**
IMPERFECT INDICATIVE		*IMPERFECT SUBJUNCTIVE*	
ich	**barg**	**ich**	**bärge**
du	**bargst**	**du**	**bärgest**
er	**barg**	**er**	**bärge**
wir	**bargen**	**wir**	**bärgen**
ihr	**bargt**	**ihr**	**bärget**
sie	**bargen**	**sie**	**bärgen**
FUTURE INDICATIVE		*CONDITIONAL*	
ich	werde bergen	**ich**	würde bergen
du	wirst bergen	**du**	würdest bergen
er	wird bergen	**er**	würde bergen
wir	werden bergen	**wir**	würden bergen
ihr	werdet bergen	**ihr**	würdet bergen
sie	werden bergen	**sie**	würden bergen
PERFECT INDICATIVE		*PLUPERFECT SUBJUNCTIVE*	
ich	habe **geborgen**	**ich**	hätte **geborgen**
du	hast **geborgen**	**du**	hättest **geborgen**
er	hat **geborgen**	**er**	hätte **geborgen**
wir	haben **geborgen**	**wir**	hätten **geborgen**
ihr	habt **geborgen**	**ihr**	hättet **geborgen**
sie	haben **geborgen**	**sie**	hätten **geborgen**

IMPERATIVE: **birg**! berg**en wir**! berg**t**! berg**en Sie**!

to burst

PRESENT PARTICIPLE	*PAST PARTICIPLE*
berstend	**geborsten**

PRESENT INDICATIVE	*PRESENT SUBJUNCTIVE*
ich berste	**ich** berste
du **birst**	**du** berstest
er **birst**	**er** berste
wir bersten	**wir** bersten
ihr berstet	**ihr** berstet
sie bersten	**sie** bersten

IMPERFECT INDICATIVE	*IMPERFECT SUBJUNCTIVE*
ich **barst**	**ich** **bärste**
du **barstest**	**du** **bärstest**
er **barst**	**er** **bärste**
wir **barsten**	**wir** **bärsten**
ihr **barstet**	**ihr** **bärstet**
sie **barsten**	**sie** **bärsten**

FUTURE INDICATIVE	*CONDITIONAL*
ich werde bersten	**ich** würde bersten
du wirst bersten	**du** würdest bersten
er wird bersten	**er** würde bersten
wir werden bersten	**wir** würden bersten
ihr werdet bersten	**ihr** würdet bersten
sie werden bersten	**sie** würden bersten

PERFECT INDICATIVE	*PLUPERFECT SUBJUNCTIVE*
ich bin **geborsten**	**ich** wäre **geborsten**
du bist **geborsten**	**du** wär(e)st **geborsten**
er ist **geborsten**	**er** wäre **geborsten**
wir sind **geborsten**	**wir** wären **geborsten**
ihr seid **geborsten**	**ihr** wär(e)t **geborsten**
sie sind **geborsten**	**sie** wären **geborsten**

IMPERATIVE: **birst**! berst**en wir**! berst**et**! berst**en Sie**!

11 **bestellen** [weak, inseparable, *haben*]

to order

PRESENT PARTICIPLE	*PAST PARTICIPLE*
bestellend	bestellt

PRESENT INDICATIVE		*PRESENT SUBJUNCTIVE*	
ich	bestelle	**ich**	bestelle
du	bestellst	**du**	bestellest
er	bestellt	**er**	bestelle
wir	bestellen	**wir**	bestellen
ihr	bestellt	**ihr**	bestellet
sie	bestellen	**sie**	bestellen
IMPERFECT INDICATIVE		*IMPERFECT SUBJUNCTIVE*	
ich	bestellte	**ich**	bestellte
du	bestelltest	**du**	bestelltest
er	bestellte	**er**	bestellte
wir	bestellten	**wir**	bestellten
ihr	bestelltet	**ihr**	bestelltet
sie	bestellten	**sie**	bestellten
FUTURE INDICATIVE		*CONDITIONAL*	
ich	werde bestellen	**ich**	würde bestellen
du	wirst bestellen	**du**	würdest bestellen
er	wird bestellen	**er**	würde bestellen
wir	werden bestellen	**wir**	würden bestellen
ihr	werdet bestellen	**ihr**	würdet bestellen
sie	werden bestellen	**sie**	würden bestellen
PERFECT INDICATIVE		*PLUPERFECT SUBJUNCTIVE*	
ich	habe bestellt	**ich**	hätte bestellt
du	hast bestellt	**du**	hättest bestellt
er	hat bestellt	**er**	hätte bestellt
wir	haben bestellt	**wir**	hätten bestellt
ihr	habt bestellt	**ihr**	hättet bestellt
sie	haben bestellt	**sie**	hätten bestellt

IMPERATIVE: bestell(**e**)! bestellen **wir**! bestell**t**! bestellen **Sie**!

to persuade

PRESENT PARTICIPLE	*PAST PARTICIPLE*
bewegend	bewogen

PRESENT INDICATIVE		*PRESENT SUBJUNCTIVE*	
ich	bewege	ich	bewege
du	bewegst	du	bewegest
er	bewegt	er	bewege
wir	bewegen	wir	bewegen
ihr	bewegt	ihr	beweget
sie	bewegen	sie	bewegen
IMPERFECT INDICATIVE		*IMPERFECT SUBJUNCTIVE*	
ich	bewog	ich	bewöge
du	bewogst	du	bewögest
er	bewog	er	bewöge
wir	bewogen	wir	bewögen
ihr	bewogt	ihr	bewöget
sie	bewogen	sie	bewögen
FUTURE INDICATIVE		*CONDITIONAL*	
ich	werde bewegen	ich	würde bewegen
du	wirst bewegen	du	würdest bewegen
er	wird bewegen	er	würde bewegen
wir	werden bewegen	wir	würden bewegen
ihr	werdet bewegen	ihr	würdet bewegen
sie	werden bewegen	sie	würden bewegen
PERFECT INDICATIVE		*PLUPERFECT SUBJUNCTIVE*	
ich	habe **bewogen**	ich	hätte **bewogen**
du	hast **bewogen**	du	hättest **bewogen**
er	hat **bewogen**	er	hätte **bewogen**
wir	haben **bewogen**	wir	hätten **bewogen**
ihr	habt **bewogen**	ihr	hättet **bewogen**
sie	haben **bewogen**	sie	hätten **bewogen**

IMPERATIVE: beweg(**e**)! beweg**en wir**! bewegt! beweg**en Sie**!

**Conjugated as a weak verb when the meaning is "to move".*

13 **biegen** [strong, *haben/sein*]

to bend/to turn (*transitive/intransitive*)

PRESENT PARTICIPLE	*PAST PARTICIPLE*
biegend	**gebogen**

PRESENT INDICATIVE		*PRESENT SUBJUNCTIVE*	
ich	biege	**ich**	biege
du	biegst	**du**	biegest
er	biegt	**er**	biege
wir	biegen	**wir**	biegen
ihr	biegt	**ihr**	bieget
sie	biegen	**sie**	biegen

IMPERFECT INDICATIVE		*IMPERFECT SUBJUNCTIVE*	
ich	**bog**	**ich**	**böge**
du	**bogst**	**du**	**bögest**
er	**bog**	**er**	**böge**
wir	**bogen**	**wir**	**bögen**
ihr	**bogt**	**ihr**	**böget**
sie	**bogen**	**sie**	**bögen**

FUTURE INDICATIVE		*CONDITIONAL*	
ich	werde biegen	**ich**	würde biegen
du	wirst biegen	**du**	würdest biegen
er	wird biegen	**er**	würde biegen
wir	werden biegen	**wir**	würden biegen
ihr	werdet biegen	**ihr**	würdet biegen
sie	werden biegen	**sie**	würden biegen

PERFECT INDICATIVE		*PLUPERFECT SUBJUNCTIVE*	
ich	habe **gebogen***	**ich**	hätte **gebogen***
du	hast **gebogen**	**du**	hättest **gebogen**
er	hat **gebogen**	**er**	hätte **gebogen**
wir	haben **gebogen**	**wir**	hätten **gebogen**
ihr	habt **gebogen**	**ihr**	hättet **gebogen**
sie	haben **gebogen**	**sie**	hätten **gebogen**

IMPERATIVE: bieg(e)! biegen **wir**! biegt! biegen **Sie**!
OR*: **ich bin/wäre **gebogen** *etc* (*when intransitive*).

PRESENT PARTICIPLE	*PAST PARTICIPLE*
bietend	**geboten**

PRESENT INDICATIVE		*PRESENT SUBJUNCTIVE*	
ich	biete	**ich**	biete
du	bietest	**du**	bietest
er	bietet	**er**	biete
wir	bieten	**wir**	bieten
ihr	bietet	**ihr**	bietet
sie	bieten	**sie**	bieten
IMPERFECT INDICATIVE		*IMPERFECT SUBJUNCTIVE*	
ich	**bot**	**ich**	**böte**
du	**bot(e)st**	**du**	**bötest**
er	**bot**	**er**	**böte**
wir	**boten**	**wir**	**böten**
ihr	**botet**	**ihr**	**bötet**
sie	**boten**	**sie**	**böten**
FUTURE INDICATIVE		*CONDITIONAL*	
ich	werde bieten	**ich**	würde bieten
du	wirst bieten	**du**	würdest bieten
er	wird bieten	**er**	würde bieten
wir	werden bieten	**wir**	würden bieten
ihr	werdet bieten	**ihr**	würdet bieten
sie	werden bieten	**sie**	würden bieten
PERFECT INDICATIVE		*PLUPERFECT SUBJUNCTIVE*	
ich	habe **geboten**	**ich**	hätte **geboten**
du	hast **geboten**	**du**	hättest **geboten**
er	hat **geboten**	**er**	hätte **geboten**
wir	haben **geboten**	**wir**	hätten **geboten**
ihr	habt **geboten**	**ihr**	hättet **geboten**
sie	haben **geboten**	**sie**	hätten **geboten**

IMPERATIVE: biet(**e**)! bieten **wir**! bietet! bieten **Sie**!

15 **binden** [strong, *haben*]
to tie

PRESENT PARTICIPLE	*PAST PARTICIPLE*
bindend	**gebunden**

PRESENT INDICATIVE		*PRESENT SUBJUNCTIVE*	
ich	binde	**ich**	binde
du	bindest	**du**	bindest
er	bindet	**er**	binde
wir	binden	**wir**	binden
ihr	bindet	**ihr**	bindet
sie	binden	**sie**	binden

IMPERFECT INDICATIVE		*IMPERFECT SUBJUNCTIVE*	
ich	**band**	**ich**	**bände**
du	**band(e)st**	**du**	**bändest**
er	**band**	**er**	**bände**
wir	**banden**	**wir**	**bänden**
ihr	**bandet**	**ihr**	**bändet**
sie	**banden**	**sie**	**bänden**

FUTURE INDICATIVE		*CONDITIONAL*	
ich	werde binden	**ich**	würde binden
du	wirst binden	**du**	würdest binden
er	wird binden	**er**	würde binden
wir	werden binden	**wir**	würden binden
ihr	werdet binden	**ihr**	würdet binden
sie	werden binden	**sie**	würden binden

PERFECT INDICATIVE		*PLUPERFECT SUBJUNCTIVE*	
ich	habe **gebunden**	**ich**	hätte **gebunden**
du	hast **gebunden**	**du**	hättest **gebunden**
er	hat **gebunden**	**er**	hätte **gebunden**
wir	haben **gebunden**	**wir**	hätten **gebunden**
ihr	habt **gebunden**	**ihr**	hättet **gebunden**
sie	haben **gebunden**	**sie**	hätten **gebunden**

IMPERATIVE: bind(**e**)! bind**en wir**! bind**et**! bind**en Sie**!

to request

PRESENT PARTICIPLE	*PAST PARTICIPLE*
bittend	**gebeten**

PRESENT INDICATIVE		*PRESENT SUBJUNCTIVE*	
ich	bitte	**ich**	bitte
du	bittest	**du**	bittest
er	bittet	**er**	bitte
wir	bitten	**wir**	bitten
ihr	bittet	**ihr**	bittet
sie	bitten	**sie**	bitten
IMPERFECT INDICATIVE		*IMPERFECT SUBJUNCTIVE*	
ich	**bat**	**ich**	**bäte**
du	**bat(e)st**	**du**	**bätest**
er	**bat**	**er**	**bäte**
wir	**baten**	**wir**	**bäten**
ihr	**batet**	**ihr**	**bätet**
sie	**baten**	**sie**	**bäten**
FUTURE INDICATIVE		*CONDITIONAL*	
ich	werde bitten	**ich**	würde bitten
du	wirst bitten	**du**	würdest bitten
er	wird bitten	**er**	würde bitten
wir	werden bitten	**wir**	würden bitten
ihr	werdet bitten	**ihr**	würdet bitten
sie	werden bitten	**sie**	würden bitten
PERFECT INDICATIVE		*PLUPERFECT SUBJUNCTIVE*	
ich	habe **gebeten**	**ich**	hätte **gebeten**
du	hast **gebeten**	**du**	hättest **gebeten**
er	hat **gebeten**	**er**	hätte **gebeten**
wir	haben **gebeten**	**wir**	hätten **gebeten**
ihr	habt **gebeten**	**ihr**	hättet **gebeten**
sie	haben **gebeten**	**sie**	hätten **gebeten**

IMPERATIVE: bitt(e)! bitten **wir**! bittet! bitten **Sie**!

17 **blasen** [strong, *haben*]

to blow

PRESENT PARTICIPLE	*PAST PARTICIPLE*
blasen**d**	**geblasen**

PRESENT INDICATIVE		*PRESENT SUBJUNCTIVE*	
ich	blas**e**	**ich**	blas**e**
du	**bläst**	**du**	blas**est**
er	**bläst**	**er**	blas**e**
wir	blas**en**	**wir**	blas**en**
ihr	blas**t**	**ihr**	blas**et**
sie	blas**en**	**sie**	blas**en**

IMPERFECT INDICATIVE		*IMPERFECT SUBJUNCTIVE*	
ich	**blies**	**ich**	**bliese**
du	**bliesest**	**du**	**bliesest**
er	**blies**	**er**	**bliese**
wir	**bliesen**	**wir**	**bliesen**
ihr	**bliest**	**ihr**	**blieset**
sie	**bliesen**	**sie**	**bliesen**

FUTURE INDICATIVE		*CONDITIONAL*	
ich	werde blasen	**ich**	würde blasen
du	wirst blasen	**du**	würdest blasen
er	wird blasen	**er**	würde blasen
wir	werden blasen	**wir**	würden blasen
ihr	werdet blasen	**ihr**	würdet blasen
sie	werden blasen	**sie**	würden blasen

PERFECT INDICATIVE		*PLUPERFECT SUBJUNCTIVE*	
ich	habe **geblasen**	**ich**	hätte **geblasen**
du	hast **geblasen**	**du**	hättest **geblasen**
er	hat **geblasen**	**er**	hätte **geblasen**
wir	haben **geblasen**	**wir**	hätten **geblasen**
ihr	habt **geblasen**	**ihr**	hättet **geblasen**
sie	haben **geblasen**	**sie**	hätten **geblasen**

IMPERATIVE: blas(**e**)! blas**en wir**! blas**t**! blas**en Sie**!

to remain

PRESENT PARTICIPLE	*PAST PARTICIPLE*
bleiben**d**	**geblieben**

PRESENT INDICATIVE		*PRESENT SUBJUNCTIVE*	
ich	bleib**e**	**ich**	bleib**e**
du	bleib**st**	**du**	bleib**est**
er	bleib**t**	**er**	bleib**e**
wir	bleib**en**	**wir**	bleib**en**
ihr	bleib**t**	**ihr**	bleib**et**
sie	bleib**en**	**sie**	bleib**en**
IMPERFECT INDICATIVE		*IMPERFECT SUBJUNCTIVE*	
ich	**blieb**	**ich**	**bliebe**
du	**bliebst**	**du**	**bliebest**
er	**blieb**	**er**	**bliebe**
wir	**blieben**	**wir**	**blieben**
ihr	**bliebt**	**ihr**	**bliebet**
sie	**blieben**	**sie**	**blieben**
FUTURE INDICATIVE		*CONDITIONAL*	
ich	werde bleiben	**ich**	würde bleiben
du	wirst bleiben	**du**	würdest bleiben
er	wird bleiben	**er**	würde bleiben
wir	werden bleiben	**wir**	würden bleiben
ihr	werdet bleiben	**ihr**	würdet bleiben
sie	werden bleiben	**sie**	würden bleiben
PERFECT INDICATIVE		*PLUPERFECT SUBJUNCTIVE*	
ich	bin **geblieben**	**ich**	wäre **geblieben**
du	bist **geblieben**	**du**	wär(e)st **geblieben**
er	ist **geblieben**	**er**	wäre **geblieben**
wir	sind **geblieben**	**wir**	wären **geblieben**
ihr	seid **geblieben**	**ihr**	wär(e)t **geblieben**
sie	sind **geblieben**	**sie**	wären **geblieben**

IMPERATIVE: bleib(**e**)! bleib**en wir**! bleib**t**! bleib**en Sie**!

19 **braten** [strong, *haben*]
to fry

PRESENT PARTICIPLE	*PAST PARTICIPLE*
bratend	**gebraten**

PRESENT INDICATIVE		*PRESENT SUBJUNCTIVE*	
ich	brate	**ich**	brate
du	brätst	**du**	bratest
er	brät	**er**	brate
wir	braten	**wir**	braten
ihr	bratet	**ihr**	bratet
sie	braten	**sie**	braten
IMPERFECT INDICATIVE		*IMPERFECT SUBJUNCTIVE*	
ich	**briet**	**ich**	**briete**
du	**briet(e)st**	**du**	**brietest**
er	**briet**	**er**	**briete**
wir	**brieten**	**wir**	**brieten**
ihr	**brietet**	**ihr**	**brietet**
sie	**brieten**	**sie**	**brieten**
FUTURE INDICATIVE		*CONDITIONAL*	
ich	werde braten	**ich**	würde braten
du	wirst braten	**du**	würdest braten
er	wird braten	**er**	würde braten
wir	werden braten	**wir**	würden braten
ihr	werdet braten	**ihr**	würdet braten
sie	werden braten	**sie**	würden braten
PERFECT INDICATIVE		*PLUPERFECT SUBJUNCTIVE*	
ich	habe **gebraten**	**ich**	hätte **gebraten**
du	hast **gebraten**	**du**	hättest **gebraten**
er	hat **gebraten**	**er**	hätte **gebraten**
wir	haben **gebraten**	**wir**	hätten **gebraten**
ihr	habt **gebraten**	**ihr**	hättet **gebraten**
sie	haben **gebraten**	**sie**	hätten **gebraten**

IMPERATIVE: brat(**e**)! brat**en wir**! brat**et**! brat**en Sie**!

to break (*transitive/intransitive*)

PRESENT PARTICIPLE	*PAST PARTICIPLE*
brechend	**gebrochen**

PRESENT INDICATIVE		*PRESENT SUBJUNCTIVE*	
ich	breche	**ich**	breche
du	**brichst**	**du**	brechest
er	**bricht**	**er**	breche
wir	brechen	**wir**	brechen
ihr	brecht	**ihr**	brechet
sie	brechen	**sie**	brechen

IMPERFECT INDICATIVE		*IMPERFECT SUBJUNCTIVE*	
ich	**brach**	**ich**	**bräche**
du	**brachst**	**du**	**brächest**
er	**brach**	**er**	**bräche**
wir	**brachen**	**wir**	**brächen**
ihr	**bracht**	**ihr**	**brächet**
sie	**brachen**	**sie**	**brächen**

FUTURE INDICATIVE		*CONDITIONAL*	
ich	werde brechen	**ich**	würde brechen
du	wirst brechen	**du**	würdest brechen
er	wird brechen	**er**	würde brechen
wir	werden brechen	**wir**	würden brechen
ihr	werdet brechen	**ihr**	würdet brechen
sie	werden brechen	**sie**	würden brechen

PERFECT INDICATIVE		*PLUPERFECT SUBJUNCTIVE*	
ich	habe **gebrochen***	**ich**	hätte **gebrochen***
du	hast **gebrochen**	**du**	hättest **gebrochen**
er	hat **gebrochen**	**er**	hätte **gebrochen**
wir	haben **gebrochen**	**wir**	hätten **gebrochen**
ihr	habt **gebrochen**	**ihr**	hättet **gebrochen**
sie	haben **gebrochen**	**sie**	hätten **gebrochen**

IMPERATIVE: **brich**! brechen **wir**! brecht! brechen **Sie**!
OR*: **ich bin/wäre **gebrochen** *etc* (*when intransitive*).

21 **brennen** [mixed, *haben*]
to burn

PRESENT PARTICIPLE	*PAST PARTICIPLE*
brennend	gebrannt

PRESENT INDICATIVE	*PRESENT SUBJUNCTIVE*
ich brenne	**ich** brenne
du brennst	**du** brennest
er brennt	**er** brenne
wir brennen	**wir** brennen
ihr brennt	**ihr** brennet
sie brennen	**sie** brennen
IMPERFECT INDICATIVE	*IMPERFECT SUBJUNCTIVE*
ich brannte	**ich** brennte
du branntest	**du** brenntest
er brannte	**er** brennte
wir brannten	**wir** brennten
ihr branntet	**ihr** brenntet
sie brannten	**sie** brennten
FUTURE INDICATIVE	*CONDITIONAL*
ich werde brennen	**ich** würde brennen
du wirst brennen	**du** würdest brennen
er wird brennen	**er** würde brennen
wir werden brennen	**wir** würden brennen
ihr werdet brennen	**ihr** würdet brennen
sie werden brennen	**sie** würden brennen
PERFECT INDICATIVE	*PLUPERFECT SUBJUNCTIVE*
ich habe gebrannt	**ich** hätte gebrannt
du hast gebrannt	**du** hättest gebrannt
er hat gebrannt	**er** hätte gebrannt
wir haben gebrannt	**wir** hätten gebrannt
ihr habt gebrannt	**ihr** hättet gebrannt
sie haben gebrannt	**sie** hätten gebrannt

IMPERATIVE: brenn(e)! brennen **wir**! brennt! brennen **Sie**!

to bring

PRESENT PARTICIPLE	*PAST PARTICIPLE*
bringend	**gebracht**

PRESENT INDICATIVE		*PRESENT SUBJUNCTIVE*	
ich	bringe	**ich**	bringe
du	bringst	**du**	bringest
er	bringt	**er**	bringe
wir	bringen	**wir**	bringen
ihr	bringt	**ihr**	bringet
sie	bringen	**sie**	bringen
IMPERFECT INDICATIVE		*IMPERFECT SUBJUNCTIVE*	
ich	**brachte**	**ich**	**brächte**
du	**brachtest**	**du**	**brächtest**
er	**brachte**	**er**	**brächte**
wir	**brachten**	**wir**	**brächten**
ihr	**brachtet**	**ihr**	**brächtet**
sie	**brachten**	**sie**	**brächten**
FUTURE INDICATIVE		*CONDITIONAL*	
ich	werde bringen	**ich**	würde bringen
du	wirst bringen	**du**	würdest bringen
er	wird bringen	**er**	würde bringen
wir	werden bringen	**wir**	würden bringen
ihr	werdet bringen	**ihr**	würdet bringen
sie	werden bringen	**sie**	würden bringen
PERFECT INDICATIVE		*PLUPERFECT SUBJUNCTIVE*	
ich	habe **gebracht**	**ich**	hätte **gebracht**
du	hast **gebracht**	**du**	hättest **gebracht**
er	hat **gebracht**	**er**	hätte **gebracht**
wir	haben **gebracht**	**wir**	hätten **gebracht**
ihr	habt **gebracht**	**ihr**	hättet **gebracht**
sie	haben **gebracht**	**sie**	hätten **gebracht**

IMPERATIVE: bring(e)! bringen **wir**! bringt! bringen **Sie**!

23 **denken** [mixed, *haben*]

to think

PRESENT PARTICIPLE	*PAST PARTICIPLE*
denkend	**gedacht**

PRESENT INDICATIVE		*PRESENT SUBJUNCTIVE*	
ich	denke	**ich**	denke
du	denk**st**	**du**	denk**est**
er	denk**t**	**er**	denk**e**
wir	denk**en**	**wir**	denk**en**
ihr	denk**t**	**ihr**	denk**et**
sie	denk**en**	**sie**	denk**en**

IMPERFECT INDICATIVE		*IMPERFECT SUBJUNCTIVE*	
ich	**dachte**	**ich**	**dächte**
du	**dachtest**	**du**	**dächtest**
er	**dachte**	**er**	**dächte**
wir	**dachten**	**wir**	**dächten**
ihr	**dachtet**	**ihr**	**dächtet**
sie	**dachten**	**sie**	**dächten**

FUTURE INDICATIVE		*CONDITIONAL*	
ich	werde denken	**ich**	würde denken
du	wirst denken	**du**	würdest denken
er	wird denken	**er**	würde denken
wir	werden denken	**wir**	würden denken
ihr	werdet denken	**ihr**	würdet denken
sie	werden denken	**sie**	würden denken

PERFECT INDICATIVE		*PLUPERFECT SUBJUNCTIVE*	
ich	habe **gedacht**	**ich**	hätte **gedacht**
du	hast **gedacht**	**du**	hättest **gedacht**
er	hat **gedacht**	**er**	hätte **gedacht**
wir	haben **gedacht**	**wir**	hätten **gedacht**
ihr	habt **gedacht**	**ihr**	hättet **gedacht**
sie	haben **gedacht**	**sie**	hätten **gedacht**

IMPERATIVE: denk(**e**)! denk**en wir**! denk**t**! denk**en Sie**!

to thresh

PRESENT PARTICIPLE	*PAST PARTICIPLE*
dreschend	**gedroschen**

PRESENT INDICATIVE		*PRESENT SUBJUNCTIVE*	
ich	dresche	**ich**	dresche
du	**drischst**	**du**	dreschest
er	**drischt**	**er**	dresche
wir	dreschen	**wir**	dreschen
ihr	drescht	**ihr**	dreschet
sie	dreschen	**sie**	dreschen
IMPERFECT INDICATIVE		*IMPERFECT SUBJUNCTIVE*	
ich	**drosch**	**ich**	**drösche**
du	**drosch(e)st**	**du**	**dröschest**
er	**drosch**	**er**	**drösche**
wir	**droschen**	**wir**	**dröschen**
ihr	**droscht**	**ihr**	**dröschet**
sie	**droschen**	**sie**	**dröschen**
FUTURE INDICATIVE		*CONDITIONAL*	
ich	werde dreschen	**ich**	würde dreschen
du	wirst dreschen	**du**	würdest dreschen
er	wird dreschen	**er**	würde dreschen
wir	werden dreschen	**wir**	würden dreschen
ihr	werdet dreschen	**ihr**	würdet dreschen
sie	werden dreschen	**sie**	würden dreschen
PERFECT INDICATIVE		*PLUPERFECT SUBJUNCTIVE*	
ich	habe **gedroschen**	**ich**	hätte **gedroschen**
du	hast **gedroschen**	**du**	hättest **gedroschen**
er	hat **gedroschen**	**er**	hätte **gedroschen**
wir	haben **gedroschen**	**wir**	hätten **gedroschen**
ihr	habt **gedroschen**	**ihr**	hättet **gedroschen**
sie	haben **gedroschen**	**sie**	hätten **gedroschen**

IMPERATIVE: **drisch**! dreschen **wir**! drescht! dreschen **Sie**!

25 **dringen** [strong, *sein*]

to penetrate

PRESENT PARTICIPLE	*PAST PARTICIPLE*
dringen**d**	**gedrungen**

PRESENT INDICATIVE	*PRESENT SUBJUNCTIVE*
ich dring**e**	**ich** dring**e**
du dring**st**	**du** dring**est**
er dring**t**	**er** dring**e**
wir dring**en**	**wir** dring**en**
ihr dring**t**	**ihr** dring**et**
sie dring**en**	**sie** dring**en**

IMPERFECT INDICATIVE	*IMPERFECT SUBJUNCTIVE*
ich drang	**ich dränge**
du drangst	**du drängest**
er drang	**er dränge**
wir drangen	**wir drängen**
ihr drangt	**ihr dränget**
sie drangen	**sie drängen**

FUTURE INDICATIVE	*CONDITIONAL*
ich werde dringen	**ich** würde dringen
du wirst dringen	**du** würdest dringen
er wird dringen	**er** würde dringen
wir werden dringen	**wir** würden dringen
ihr werdet dringen	**ihr** würdet dringen
sie werden dringen	**sie** würden dringen

PERFECT INDICATIVE	*PLUPERFECT SUBJUNCTIVE*
ich bin **gedrungen**	**ich** wäre **gedrungen**
du bist **gedrungen**	**du** wär(e)st **gedrungen**
er ist **gedrungen**	**er** wäre **gedrungen**
wir sind **gedrungen**	**wir** wären **gedrungen**
ihr seid **gedrungen**	**ihr** wär(e)t **gedrungen**
sie sind **gedrungen**	**sie** wären **gedrungen**

IMPERATIVE: dring(**e**)! dring**en wir**! dring**t**! dring**en Sie**!

to penetrate, infiltrate

PRESENT PARTICIPLE	*PAST PARTICIPLE*
durchsetzen**d**	durchsetz**t**

PRESENT INDICATIVE		*PRESENT SUBJUNCTIVE*	
ich	durchsetz**e**	**ich**	durchsetz**e**
du	durchsetz**t**	**du**	durchsetz**est**
er	durchsetz**t**	**er**	durchsetz**e**
wir	durchsetz**en**	**wir**	durchsetz**en**
ihr	durchsetz**t**	**ihr**	durchsetz**et**
sie	durchsetz**en**	**sie**	durchsetz**en**
IMPERFECT INDICATIVE		*IMPERFECT SUBJUNCTIVE*	
ich	durchsetz**te**	**ich**	durchsetz**te**
du	durchsetz**test**	**du**	durchsetz**test**
er	durchsetz**te**	**er**	durchsetz**te**
wir	durchsetz**ten**	**wir**	durchsetz**ten**
ihr	durchsetz**tet**	**ihr**	durchsetz**tet**
sie	durchsetz**ten**	**sie**	durchsetz**ten**
FUTURE INDICATIVE		*CONDITIONAL*	
ich	werde durchsetzen	**ich**	würde durchsetzen
du	wirst durchsetzen	**du**	würdest durchsetzen
er	wird durchsetzen	**er**	würde durchsetzen
wir	werden durchsetzen	**wir**	würden durchsetzen
ihr	werdet durchsetzen	**ihr**	würdet durchsetzen
sie	werden durchsetzen	**sie**	würden durchsetzen
PERFECT INDICATIVE		*PLUPERFECT SUBJUNCTIVE*	
ich	habe durchsetz**t**	**ich**	hätte durchsetz**t**
du	hast durchsetz**t**	**du**	hättest durchsetz**t**
er	hat durchsetz**t**	**er**	hätte durchsetz**t**
wir	haben durchsetz**t**	**wir**	hätten durchsetz**t**
ihr	habt durchsetz**t**	**ihr**	hättet durchsetz**t**
sie	haben durchsetz**t**	**sie**	hätten durchsetz**t**

IMPERATIVE: durchsetz(**e**)! durchsetz**en wir**! durchsetz**t**! durchsetz**en Sie**!

27 **durchsetzen**[2] [weak, separable, *haben*] to enforce

PRESENT PARTICIPLE	*PAST PARTICIPLE*
durchsetzen**d**	durch**ge**setz**t**

PRESENT INDICATIVE		*PRESENT SUBJUNCTIVE*	
ich	setz**e** durch	**ich**	setz**e** durch
du	setz**t** durch	**du**	setz**est** durch
er	setz**t** durch	**er**	setz**e** durch
wir	setz**en** durch	**wir**	setz**en** durch
ihr	setz**t** durch	**ihr**	setz**et** durch
sie	setz**en** durch	**sie**	setz**en** durch
IMPERFECT INDICATIVE		*IMPERFECT SUBJUNCTIVE*	
ich	setz**te** durch	**ich**	setz**te** durch
du	setz**test** durch	**du**	setz**test** durch
er	setz**te** durch	**er**	setz**te** durch
wir	setz**ten** durch	**wir**	setz**ten** durch
ihr	setz**tet** durch	**ihr**	setz**tet** durch
sie	setz**ten** durch	**sie**	setz**ten** durch
FUTURE INDICATIVE		*CONDITIONAL*	
ich	werde durchsetzen	**ich**	würde durchsetzen
du	wirst durchsetzen	**du**	würdest durchsetzen
er	wird durchsetzen	**er**	würde durchsetzen
wir	werden durchsetzen	**wir**	würden durchsetzen
ihr	werdet durchsetzen	**ihr**	würdet durchsetzen
sie	werden durchsetzen	**sie**	würden durchsetzen
PERFECT INDICATIVE		*PLUPERFECT SUBJUNCTIVE*	
ich	habe durch**gesetzt**	**ich**	hätte durch**gesetzt**
du	hast durch**gesetzt**	**du**	hättest durch**gesetzt**
er	hat durch**gesetzt**	**er**	hätte durch**gesetzt**
wir	haben durch**gesetzt**	**wir**	hätten durch**gesetzt**
ihr	habt durch**gesetzt**	**ihr**	hättet durch**gesetzt**
sie	haben durch**gesetzt**	**sie**	hätten durch**gesetzt**

IMPERATIVE: setz(**e**) durch! setz**en wir** durch! setz**t** durch! setz**en Sie** durch!

to be allowed to

PRESENT PARTICIPLE	*PAST PARTICIPLE*
dürfend	**gedurft/dürfen***[*]

PRESENT INDICATIVE	*PRESENT SUBJUNCTIVE*
ich **darf**	**ich** dürfe
du **darfst**	**du** dürfest
er **darf**	**er** dürfe
wir dürfen	**wir** dürfen
ihr dürft	**ihr** dürfet
sie dürfen	**sie** dürfen
IMPERFECT INDICATIVE	*IMPERFECT SUBJUNCTIVE*
ich **durfte**	**ich** dürfte
du **durftest**	**du** dürftest
er **durfte**	**er** dürfte
wir **durften**	**wir** dürften
ihr **durftet**	**ihr** dürftet
sie **durften**	**sie** dürften
FUTURE INDICATIVE	*CONDITIONAL*
ich werde dürfen	**ich** würde dürfen
du wirst dürfen	**du** würdest dürfen
er wird dürfen	**er** würde dürfen
wir werden dürfen	**wir** würden dürfen
ihr werdet dürfen	**ihr** würdet dürfen
sie werden dürfen	**sie** würden dürfen
PERFECT INDICATIVE	*PLUPERFECT SUBJUNCTIVE*
ich habe **gedurft/dürfen**	**ich** hätte **gedurft/dürfen**
du hast **gedurft/dürfen**	**du** hättest **gedurft/dürfen**
er hat **gedurft/dürfen**	**er** hätte **gedurft/dürfen**
wir haben **gedurft/dürfen**	**wir** hätten **gedurft/dürfen**
ihr habt **gedurft/dürfen**	**ihr** hättet **gedurft/dürfen**
sie haben **gedurft/dürfen**	**sie** hätten **gedurft/dürfen**

[*]*The second form is used when combined with an infinitive construction.*

29 **empfehlen** [strong, inseparable, *haben*]
to recommend

PRESENT PARTICIPLE
empfehlend

PAST PARTICIPLE
empfohlen

PRESENT INDICATIVE

ich	empfehle
du	**empfiehlst**
er	**empfiehlt**
wir	empfehlen
ihr	empfehlt
sie	empfehlen

IMPERFECT INDICATIVE

ich	**empfahl**
du	**empfahlst**
er	**empfahl**
wir	**empfahlen**
ihr	**empfahlt**
sie	**empfahlen**

FUTURE INDICATIVE

ich	werde empfehlen
du	wirst empfehlen
er	wird empfehlen
wir	werden empfehlen
ihr	werdet empfehlen
sie	werden empfehlen

PERFECT INDICATIVE

ich	habe **empfohlen**
du	hast **empfohlen**
er	hat **empfohlen**
wir	haben **empfohlen**
ihr	habt **empfohlen**
sie	haben **empfohlen**

PRESENT SUBJUNCTIVE

ich	empfehle
du	empfehlest
er	empfehle
wir	empfehlen
ihr	empfehlet
sie	empfehlen

IMPERFECT SUBJUNCTIVE

ich	**empföhle**
du	**empföhlest**
er	**empföhle**
wir	**empföhlen**
ihr	**empföhlet**
sie	**empföhlen**

CONDITIONAL

ich	würde empfehlen
du	würdest empfehlen
er	würde empfehlen
wir	würden empfehlen
ihr	würdet empfehlen
sie	würden empfehlen

PLUPERFECT SUBJUNCTIVE

ich	hätte **empfohlen**
du	hättest **empfohlen**
er	hätte **empfohlen**
wir	hätten **empfohlen**
ihr	hättet **empfohlen**
sie	hätten **empfohlen**

IMPERATIVE: **empfiehl**! empfehlen **wir**! empfehlt! empfehlen **Sie**!

[weak, inseparable, *haben*] **entdecken** 30

to discover

PRESENT PARTICIPLE
entdeckend

PAST PARTICIPLE
entdeckt

PRESENT INDICATIVE
ich entdecke
du entdeckst
er entdeckt
wir entdecken
ihr entdeckt
sie entdecken

IMPERFECT INDICATIVE
ich entdeckte
du entdecktest
er entdeckte
wir entdeckten
ihr entdecktet
sie entdeckten

FUTURE INDICATIVE
ich werde entdecken
du wirst entdecken
er wird entdecken
wir werden entdecken
ihr werdet entdecken
sie werden entdecken

PERFECT INDICATIVE
ich habe entdeckt
du hast entdeckt
er hat entdeckt
wir haben entdeckt
ihr habt entdeckt
sie haben entdeckt

PRESENT SUBJUNCTIVE
ich entdecke
du entdeckest
er entdecke
wir entdecken
ihr entdecket
sie entdecken

IMPERFECT SUBJUNCTIVE
ich entdeckte
du entdecktest
er entdeckte
wir entdeckten
ihr entdecktet
sie entdeckten

CONDITIONAL
ich würde entdecken
du würdest entdecken
er würde entdecken
wir würden entdecken
ihr würdet entdecken
sie würden entdecken

PLUPERFECT SUBJUNCTIVE
ich hätte entdeckt
du hättest entdeckt
er hätte entdeckt
wir hätten entdeckt
ihr hättet entdeckt
sie hätten entdeckt

IMPERATIVE: entdeck(e)! entdecken wir! entdeckt! entdecken Sie!

31 **erlöschen** [strong, inseparable, *sein*]
to go out

PRESENT PARTICIPLE	*PAST PARTICIPLE*
erlöschend	**erloschen**

PRESENT INDICATIVE
ich erlösche
du **erlischst**
er **erlischt**
wir erlöschen
ihr erlöscht
sie erlöschen

IMPERFECT INDICATIVE
ich **erlosch**
du **erlosch(e)st**
er **erlosch**
wir **erloschen**
ihr **erloscht**
sie **erloschen**

FUTURE INDICATIVE
ich werde erlöschen
du wirst erlöschen
er wird erlöschen
wir werden erlöschen
ihr werdet erlöschen
sie werden erlöschen

PERFECT INDICATIVE
ich bin **erloschen**
du bist **erloschen**
er ist **erloschen**
wir sind **erloschen**
ihr seid **erloschen**
sie sind **erloschen**

PRESENT SUBJUNCTIVE
ich erlösche
du erlösch**est**
er erlösche
wir erlösch**en**
ihr erlösch**et**
sie erlösch**en**

IMPERFECT SUBJUNCTIVE
ich erlösche
du erlösch**est**
er erlösche
wir erlösch**en**
ihr erlösch**et**
sie erlösch**en**

CONDITIONAL
ich würde erlöschen
du würdest erlöschen
er würde erlöschen
wir würden erlöschen
ihr würdet erlöschen
sie würden erlöschen

PLUPERFECT SUBJUNCTIVE
ich wäre **erloschen**
du wär(e)st **erloschen**
er wäre **erloschen**
wir wären **erloschen**
ihr wär(e)t **erloschen**
sie wären **erloschen**

IMPERATIVE: **erlisch**! erlösch**en wir**! erlöscht! erlösch**en Sie**!

PRESENT PARTICIPLE	*PAST PARTICIPLE*
erschreckend	**erschrocken**

PRESENT INDICATIVE		*PRESENT SUBJUNCTIVE*	
ich	erschrecke	ich	erschrecke
du	**erschrickst**	du	erschreckest
er	**erschrickt**	er	erschrecke
wir	erschrecken	wir	erschrecken
ihr	erschreckt	ihr	erschrecket
sie	erschrecken	sie	erschrecken
IMPERFECT INDICATIVE		*IMPERFECT SUBJUNCTIVE*	
ich	**erschrak**	ich	**erschräke**
du	**erschrakst**	du	**erschräkest**
er	**erschrak**	er	**erschräke**
wir	**erschraken**	wir	**erschräken**
ihr	**erschrakt**	ihr	**erschräket**
sie	**erschraken**	sie	**erschräken**
FUTURE INDICATIVE		*CONDITIONAL*	
ich	werde erschrecken	ich	würde erschrecken
du	wirst erschrecken	du	würdest erschrecken
er	wird erschrecken	er	würde erschrecken
wir	werden erschrecken	wir	würden erschrecken
ihr	werdet erschrecken	ihr	würdet erschrecken
sie	werden erschrecken	sie	würden erschrecken
PERFECT INDICATIVE		*PLUPERFECT SUBJUNCTIVE*	
ich	bin **erschrocken**	ich	wäre **erschrocken**
du	bist **erschrocken**	du	wär(e)st **erschrocken**
er	ist **erschrocken**	er	wäre **erschrocken**
wir	sind **erschrocken**	wir	wären **erschrocken**
ihr	seid **erschrocken**	ihr	wär(e)t **erschrocken**
sie	sind **erschrocken**	sie	wären **erschrocken**

IMPERATIVE: **erschrick**! erschrecken **wir**! erschreckt! erschrecken **Sie**! **Weak when means "to frighten".*

33 **erzählen** [weak, inseparable, *haben*] to tell

PRESENT PARTICIPLE	*PAST PARTICIPLE*
erzählen**d**	erzähl**t**

	PRESENT INDICATIVE		*PRESENT SUBJUNCTIVE*
ich	erzähl**e**	**ich**	erzähl**e**
du	erzähl**st**	**du**	erzähl**est**
er	erzähl**t**	**er**	erzähl**e**
wir	erzähl**en**	**wir**	erzähl**en**
ihr	erzähl**t**	**ihr**	erzähl**et**
sie	erzähl**en**	**sie**	erzähl**en**
	IMPERFECT INDICATIVE		*IMPERFECT SUBJUNCTIVE*
ich	erzähl**te**	**ich**	erzähl**te**
du	erzähl**test**	**du**	erzähl**test**
er	erzähl**te**	**er**	erzähl**te**
wir	erzähl**ten**	**wir**	erzähl**ten**
ihr	erzähl**tet**	**ihr**	erzähl**tet**
sie	erzähl**ten**	**sie**	erzähl**ten**
	FUTURE INDICATIVE		*CONDITIONAL*
ich	werde erzählen	**ich**	würde erzählen
du	wirst erzählen	**du**	würdest erzählen
er	wird erzählen	**er**	würde erzählen
wir	werden erzählen	**wir**	würden erzählen
ihr	werdet erzählen	**ihr**	würdet erzählen
sie	werden erzählen	**sie**	würden erzählen
	PERFECT INDICATIVE		*PLUPERFECT SUBJUNCTIVE*
ich	habe erzähl**t**	**ich**	hätte erzähl**t**
du	hast erzähl**t**	**du**	hättest erzähl**t**
er	hat erzähl**t**	**er**	hätte erzähl**t**
wir	haben erzähl**t**	**wir**	hätten erzähl**t**
ihr	habt erzähl**t**	**ihr**	hättet erzähl**t**
sie	haben erzähl**t**	**sie**	hätten erzähl**t**

IMPERATIVE: erzähl(**e**)! erzähl**en wir**! erzähl**t**! erzähl**en Sie**!

to eat

PRESENT PARTICIPLE	*PAST PARTICIPLE*
ess**end**	**gegessen**

PRESENT INDICATIVE		*PRESENT SUBJUNCTIVE*	
ich	ess**e**	**ich**	ess**e**
du	**ißt**	**du**	ess**est**
er	**ißt**	**er**	ess**e**
wir	ess**en**	**wir**	ess**en**
ihr	e**ßt**	**ihr**	ess**et**
sie	ess**en**	**sie**	ess**en**
IMPERFECT INDICATIVE		*IMPERFECT SUBJUNCTIVE*	
ich	**aß**	**ich**	**äße**
du	**aßest**	**du**	**äßest**
er	**aß**	**er**	**äße**
wir	**aßen**	**wir**	**äßen**
ihr	**aßt**	**ihr**	**äßet**
sie	**aßen**	**sie**	**äßen**
FUTURE INDICATIVE		*CONDITIONAL*	
ich	werde essen	**ich**	würde essen
du	wirst essen	**du**	würdest essen
er	wird essen	**er**	würde essen
wir	werden essen	**wir**	würden essen
ihr	werdet essen	**ihr**	würdet essen
sie	werden essen	**sie**	würden essen
PERFECT INDICATIVE		*PLUPERFECT SUBJUNCTIVE*	
ich	habe **gegessen**	**ich**	hätte **gegessen**
du	hast **gegessen**	**du**	hättest **gegessen**
er	hat **gegessen**	**er**	hätte **gegessen**
wir	haben **gegessen**	**wir**	hätten **gegessen**
ihr	habt **gegessen**	**ihr**	hättet **gegessen**
sie	haben **gegessen**	**sie**	hätten **gegessen**

IMPERATIVE: **iß**! ess**en wir**! e**ßt**! ess**en Sie**!

35 **fahren** [strong, *haben/sein*]

to drive/to go (*transitive/intransitive*)

PRESENT PARTICIPLE	*PAST PARTICIPLE*
fahren**d**	**gefahren**

PRESENT INDICATIVE		*PRESENT SUBJUNCTIVE*	
ich	fahre	**ich**	fahre
du	**fährst**	**du**	fahrest
er	**fährt**	**er**	fahre
wir	fahren	**wir**	fahren
ihr	fahrt	**ihr**	fahret
sie	fahren	**sie**	fahren

IMPERFECT INDICATIVE		*IMPERFECT SUBJUNCTIVE*	
ich	**fuhr**	**ich**	**führe**
du	**fuhrst**	**du**	**führest**
er	**fuhr**	**er**	**führe**
wir	**fuhren**	**wir**	**führen**
ihr	**fuhrt**	**ihr**	**führet**
sie	**fuhren**	**sie**	**führen**

FUTURE INDICATIVE		*CONDITIONAL*	
ich	werde fahren	**ich**	würde fahren
du	wirst fahren	**du**	würdest fahren
er	wird fahren	**er**	würde fahren
wir	werden fahren	**wir**	würden fahren
ihr	werdet fahren	**ihr**	würdet fahren
sie	werden fahren	**sie**	würden fahren

PERFECT INDICATIVE		*PLUPERFECT SUBJUNCTIVE*	
ich	bin **gefahren***	**ich**	wäre **gefahren***
du	bist **gefahren**	**du**	wär(e)st **gefahren**
er	ist **gefahren**	**er**	wäre **gefahren**
wir	sind **gefahren**	**wir**	wären **gefahren**
ihr	seid **gefahren**	**ihr**	wär(e)t **gefahren**
sie	sind **gefahren**	**sie**	wären **gefahren**

IMPERATIVE: fahr(**e**)! fahre**n wir**! fahrt! fahre**n Sie**!
OR*: **ich habe/hätte **gefahren** *etc* (*when transitive*).

PRESENT PARTICIPLE	*PAST PARTICIPLE*
fallend	**gefallen**

PRESENT INDICATIVE		*PRESENT SUBJUNCTIVE*	
ich	falle	**ich**	falle
du	**fällst**	**du**	fallest
er	**fällt**	**er**	falle
wir	fallen	**wir**	fallen
ihr	fallt	**ihr**	fallet
sie	fallen	**sie**	fallen
IMPERFECT INDICATIVE		*IMPERFECT SUBJUNCTIVE*	
ich	**fiel**	**ich**	**fiele**
du	**fielst**	**du**	**fielest**
er	**fiel**	**er**	**fiele**
wir	**fielen**	**wir**	**fielen**
ihr	**fielt**	**ihr**	**fielet**
sie	**fielen**	**sie**	**fielen**
FUTURE INDICATIVE		*CONDITIONAL*	
ich	werde fallen	**ich**	würde fallen
du	wirst fallen	**du**	würdest fallen
er	wird fallen	**er**	würde fallen
wir	werden fallen	**wir**	würden fallen
ihr	werdet fallen	**ihr**	würdet fallen
sie	werden fallen	**sie**	würden fallen
PERFECT INDICATIVE		*PLUPERFECT SUBJUNCTIVE*	
ich	bin **gefallen**	**ich**	wäre **gefallen**
du	bist **gefallen**	**du**	wär(e)st **gefallen**
er	ist **gefallen**	**er**	wäre **gefallen**
wir	sind **gefallen**	**wir**	wären **gefallen**
ihr	seid **gefallen**	**ihr**	wär(e)t **gefallen**
sie	sind **gefallen**	**sie**	wären **gefallen**

IMPERATIVE: fall(**e**)! **fallen wir**! fallt! fallen **Sie**!

37 **fangen** [strong, *haben*]

to catch

PRESENT PARTICIPLE	*PAST PARTICIPLE*
fangend	**gefangen**

PRESENT INDICATIVE		*PRESENT SUBJUNCTIVE*	
ich	fange	**ich**	fange
du	**fängst**	**du**	fangest
er	**fängt**	**er**	fange
wir	fangen	**wir**	fangen
ihr	fangt	**ihr**	fanget
sie	fangen	**sie**	fangen

IMPERFECT INDICATIVE		*IMPERFECT SUBJUNCTIVE*	
ich	**fing**	**ich**	**finge**
du	**fingst**	**du**	**fingest**
er	**fing**	**er**	**finge**
wir	**fingen**	**wir**	**fingen**
ihr	**fingt**	**ihr**	**finget**
sie	**fingen**	**sie**	**fingen**

FUTURE INDICATIVE		*CONDITIONAL*	
ich	werde fangen	**ich**	würde fangen
du	wirst fangen	**du**	würdest fangen
er	wird fangen	**er**	würde fangen
wir	werden fangen	**wir**	würden fangen
ihr	werdet fangen	**ihr**	würdet fangen
sie	werden fangen	**sie**	würden fangen

PERFECT INDICATIVE		*PLUPERFECT SUBJUNCTIVE*	
ich	habe **gefangen**	**ich**	hätte **gefangen**
du	hast **gefangen**	**du**	hättest **gefangen**
er	hat **gefangen**	**er**	hätte **gefangen**
wir	haben **gefangen**	**wir**	hätten **gefangen**
ihr	habt **gefangen**	**ihr**	hättet **gefangen**
sie	haben **gefangen**	**sie**	hätten **gefangen**

IMPERATIVE: fang(**e**)! fangen **wir**! fangt! fangen **Sie**!

to fence

PRESENT PARTICIPLE	*PAST PARTICIPLE*
fechtend	**gefochten**

PRESENT INDICATIVE		*PRESENT SUBJUNCTIVE*	
ich	fechte	**ich**	fechte
du	**fichtst**	**du**	fechtest
er	**ficht**	**er**	fechte
wir	fechten	**wir**	fechten
ihr	fechtet	**ihr**	fechtet
sie	fechten	**sie**	fechten
IMPERFECT INDICATIVE		*IMPERFECT SUBJUNCTIVE*	
ich	**focht**	**ich**	**föchte**
du	**fochtest**	**du**	**föchtest**
er	**focht**	**er**	**föchte**
wir	**fochten**	**wir**	**föchten**
ihr	**fochtet**	**ihr**	**föchtet**
sie	**fochten**	**sie**	**föchten**
FUTURE INDICATIVE		*CONDITIONAL*	
ich	werde fechten	**ich**	würde fechten
du	wirst fechten	**du**	würdest fechten
er	wird fechten	**er**	würde fechten
wir	werden fechten	**wir**	würden fechten
ihr	werdet fechten	**ihr**	würdet fechten
sie	werden fechten	**sie**	würden fechten
PERFECT INDICATIVE		*PLUPERFECT SUBJUNCTIVE*	
ich	habe **gefochten**	**ich**	hätte **gefochten**
du	hast **gefochten**	**du**	hättest **gefochten**
er	hat **gefochten**	**er**	hätte **gefochten**
wir	haben **gefochten**	**wir**	hätten **gefochten**
ihr	habt **gefochten**	**ihr**	hättet **gefochten**
sie	haben **gefochten**	**sie**	hätten **gefochten**

IMPERATIVE: **ficht**! fechten **wir**! fechtet! fechten **Sie**!

39 **finden** [strong, *haben*]
to find

PRESENT PARTICIPLE	*PAST PARTICIPLE*
findend	**gefunden**

PRESENT INDICATIVE		*PRESENT SUBJUNCTIVE*	
ich	finde	**ich**	finde
du	findest	**du**	findest
er	findet	**er**	finde
wir	finden	**wir**	finden
ihr	findet	**ihr**	findet
sie	finden	**sie**	finden
IMPERFECT INDICATIVE		*IMPERFECT SUBJUNCTIVE*	
ich	**fand**	**ich**	**fände**
du	**fand(e)st**	**du**	**fändest**
er	**fand**	**er**	**fände**
wir	**fanden**	**wir**	**fänden**
ihr	**fandet**	**ihr**	**fändet**
sie	**fanden**	**sie**	**fänden**
FUTURE INDICATIVE		*CONDITIONAL*	
ich	werde finden	**ich**	würde finden
du	wirst finden	**du**	würdest finden
er	wird finden	**er**	würde finden
wir	werden finden	**wir**	würden finden
ihr	werdet finden	**ihr**	würdet finden
sie	werden finden	**sie**	würden finden
PERFECT INDICATIVE		*PLUPERFECT SUBJUNCTIVE*	
ich	habe **gefunden**	**ich**	hätte **gefunden**
du	hast **gefunden**	**du**	hättest **gefunden**
er	hat **gefunden**	**er**	hätte **gefunden**
wir	haben **gefunden**	**wir**	hätten **gefunden**
ihr	habt **gefunden**	**ihr**	hättet **gefunden**
sie	haben **gefunden**	**sie**	hätten **gefunden**

IMPERATIVE: find(**e**)! finden **wir**! findet! finden **Sie**!

to twine

PRESENT PARTICIPLE	*PAST PARTICIPLE*
flechtend	**geflochten**

PRESENT INDICATIVE		*PRESENT SUBJUNCTIVE*	
ich	flechte	**ich**	flechte
du	**flichtst**	**du**	flechtest
er	**flicht**	**er**	flechte
wir	flechten	**wir**	flechten
ihr	flechtet	**ihr**	flechtet
sie	flechten	**sie**	flechten
IMPERFECT INDICATIVE		*IMPERFECT SUBJUNCTIVE*	
ich	**flocht**	**ich**	**flöchte**
du	**flochtest**	**du**	**flöchtest**
er	**flocht**	**er**	**flöchte**
wir	**flochten**	**wir**	**flöchten**
ihr	**flochtet**	**ihr**	**flöchtet**
sie	**flochten**	**sie**	**flöchten**
FUTURE INDICATIVE		*CONDITIONAL*	
ich	werde flechten	**ich**	würde flechten
du	wirst flechten	**du**	würdest flechten
er	wird flechten	**er**	würde flechten
wir	werden flechten	**wir**	würden flechten
ihr	werdet flechten	**ihr**	würdet flechten
sie	werden flechten	**sie**	würden flechten
PERFECT INDICATIVE		*PLUPERFECT SUBJUNCTIVE*	
ich	habe **geflochten**	**ich**	hätte **geflochten**
du	hast **geflochten**	**du**	hättest **geflochten**
er	hat **geflochten**	**er**	hätte **geflochten**
wir	haben **geflochten**	**wir**	hätten **geflochten**
ihr	habt **geflochten**	**ihr**	hättet **geflochten**
sie	haben **geflochten**	**sie**	hätten **geflochten**

IMPERATIVE: **flicht**! flechten **wir**! flechtet! flechten **Sie**!

41 **fliegen** [strong, *haben/sein*]

to fly (*transitive/intransitive*)

PRESENT PARTICIPLE	*PAST PARTICIPLE*
flieg**end**	**geflogen**

PRESENT INDICATIVE	*PRESENT SUBJUNCTIVE*
ich flieg**e**	**ich** flieg**e**
du flieg**st**	**du** flieg**est**
er flieg**t**	**er** flieg**e**
wir flieg**en**	**wir** flieg**en**
ihr flieg**t**	**ihr** flieg**et**
sie flieg**en**	**sie** flieg**en**

IMPERFECT INDICATIVE	*IMPERFECT SUBJUNCTIVE*
ich **flog**	**ich** **flöge**
du **flogst**	**du** **flögest**
er **flog**	**er** **flöge**
wir **flogen**	**wir** **flögen**
ihr **flogt**	**ihr** **flöget**
sie **flogen**	**sie** **flögen**

FUTURE INDICATIVE	*CONDITIONAL*
ich werde fliegen	**ich** würde fliegen
du wirst fliegen	**du** würdest fliegen
er wird fliegen	**er** würde fliegen
wir werden fliegen	**wir** würden fliegen
ihr werdet fliegen	**ihr** würdet fliegen
sie werden fliegen	**sie** würden fliegen

PERFECT INDICATIVE	*PLUPERFECT SUBJUNCTIVE*
ich habe **geflogen***	**ich** hätte **geflogen***
du hast **geflogen**	**du** hättest **geflogen**
er hat **geflogen**	**er** hätte **geflogen**
wir haben **geflogen**	**wir** hätten **geflogen**
ihr habt **geflogen**	**ihr** hättet **geflogen**
sie haben **geflogen**	**sie** hätten **geflogen**

IMPERATIVE: flieg(**e**)! flieg**en wir**! flieg**t**! flieg**en Sie**!

OR*: **ich bin/wäre **geflogen** *etc* (*when intransitive*).

[strong, *haben/sein*] **fliehen** 42

to flee (*transitive/intransitive*)

PRESENT PARTICIPLE	*PAST PARTICIPLE*
fliehend	**geflohen**

PRESENT INDICATIVE		*PRESENT SUBJUNCTIVE*	
ich	fliehe	**ich**	fliehe
du	fliehst	**du**	fliehest
er	flieht	**er**	fliehe
wir	fliehen	**wir**	fliehen
ihr	flieht	**ihr**	fliehet
sie	fliehen	**sie**	fliehen
IMPERFECT INDICATIVE		*IMPERFECT SUBJUNCTIVE*	
ich	**floh**	**ich**	**flöhe**
du	**flohst**	**du**	**flöhest**
er	**floh**	**er**	**flöhe**
wir	**flohen**	**wir**	**flöhen**
ihr	**floht**	**ihr**	**flöhet**
sie	**flohen**	**sie**	**flöhen**
FUTURE INDICATIVE		*CONDITIONAL*	
ich	werde fliehen	**ich**	würde fliehen
du	wirst fliehen	**du**	würdest fliehen
er	wird fliehen	**er**	würde fliehen
wir	werden fliehen	**wir**	würden fliehen
ihr	werdet fliehen	**ihr**	würdet fliehen
sie	werden fliehen	**sie**	würden fliehen
PERFECT INDICATIVE		*PLUPERFECT SUBJUNCTIVE*	
ich	bin **geflohen***	**ich**	wäre **geflohen***
du	bist **geflohen**	**du**	wär(e)st **geflohen**
er	ist **geflohen**	**er**	wäre **geflohen**
wir	sind **geflohen**	**wir**	wären **geflohen**
ihr	seid **geflohen**	**ihr**	wär(e)t **geflohen**
sie	sind **geflohen**	**sie**	wären **geflohen**

IMPERATIVE: flieh(e)! fliehen **wir**! flieht! fliehen **Sie**!

OR*: **ich habe/hätte **geflohen** *etc* (*when transitive*).

43 **fließen** [strong, *sein*]

to flow

PRESENT PARTICIPLE	*PAST PARTICIPLE*
fließend	**geflossen**

PRESENT INDICATIVE		*PRESENT SUBJUNCTIVE*	
ich	fließe	**ich**	fließe
du	fließt	**du**	fließest
er	fließt	**er**	fließe
wir	fließen	**wir**	fließen
ihr	fließt	**ihr**	fließet
sie	fließen	**sie**	fließen
IMPERFECT INDICATIVE		*IMPERFECT SUBJUNCTIVE*	
ich	**floß**	**ich**	**flösse**
du	**flossest**	**du**	**flössest**
er	**floß**	**er**	**flösse**
wir	**flossen**	**wir**	**flössen**
ihr	**floßt**	**ihr**	**flösset**
sie	**flossen**	**sie**	**flössen**
FUTURE INDICATIVE		*CONDITIONAL*	
ich	werde fließen	**ich**	würde fließen
du	wirst fließen	**du**	würdest fließen
er	wird fließen	**er**	würde fließen
wir	werden fließen	**wir**	würden fließen
ihr	werdet fließen	**ihr**	würdet fließen
sie	werden fließen	**sie**	würden fließen
PERFECT INDICATIVE		*PLUPERFECT SUBJUNCTIVE*	
ich	bin **geflossen**	**ich**	wäre **geflossen**
du	bist **geflossen**	**du**	wär(e)st **geflossen**
er	ist **geflossen**	**er**	wäre **geflossen**
wir	sind **geflossen**	**wir**	wären **geflossen**
ihr	seid **geflossen**	**ihr**	wär(e)t **geflossen**
sie	sind **geflossen**	**sie**	wären **geflossen**

IMPERATIVE: fließ(**e**)! fließen **wir**! fließt! fließen **Sie**!

to eat

PRESENT PARTICIPLE	*PAST PARTICIPLE*
fressend	**gefressen**

PRESENT INDICATIVE		*PRESENT SUBJUNCTIVE*	
ich	fresse	**ich**	fresse
du	**frißt**	**du**	fressest
er	**frißt**	**er**	fresse
wir	fressen	**wir**	fressen
ihr	freßt	**ihr**	fresset
sie	fressen	**sie**	fressen
IMPERFECT INDICATIVE		*IMPERFECT SUBJUNCTIVE*	
ich	**fraß**	**ich**	**fräße**
du	**fraßest**	**du**	**fräßest**
er	**fraß**	**er**	**fräße**
wir	**fraßen**	**wir**	**fräßen**
ihr	**fraßt**	**ihr**	**fräßet**
sie	**fraßen**	**sie**	**fräßen**
FUTURE INDICATIVE		*CONDITIONAL*	
ich	werde fressen	**ich**	würde fressen
du	wirst fressen	**du**	würdest fressen
er	wird fressen	**er**	würde fressen
wir	werden fressen	**wir**	würden fressen
ihr	werdet fressen	**ihr**	würdet fressen
sie	werden fressen	**sie**	würden fressen
PERFECT INDICATIVE		*PLUPERFECT SUBJUNCTIVE*	
ich	habe **gefressen**	**ich**	hätte **gefressen**
du	hast **gefressen**	**du**	hättest **gefressen**
er	hat **gefressen**	**er**	hätte **gefressen**
wir	haben **gefressen**	**wir**	hätten **gefressen**
ihr	habt **gefressen**	**ihr**	hättet **gefressen**
sie	haben **gefressen**	**sie**	hätten **gefressen**

IMPERATIVE: **friß**! fressen **wir**! freß**t**! fressen **Sie**!

45 **sich freuen** [weak, *haben*]

to be pleased

PRESENT PARTICIPLE	*PAST PARTICIPLE*
freuend	gefreut

PRESENT INDICATIVE		*PRESENT SUBJUNCTIVE*	
ich	freue **mich**	**ich**	freue **mich**
du	freust **dich**	**du**	freuest **dich**
er	freut **sich**	**er**	freue **sich**
wir	freuen **uns**	**wir**	freuen **uns**
ihr	freut **euch**	**ihr**	freuet **euch**
sie	freuen **sich**	**sie**	freuen **sich**
IMPERFECT INDICATIVE		*IMPERFECT SUBJUNCTIVE*	
ich	freute **mich**	**ich**	freute **mich**
du	freutest **dich**	**du**	freutest **dich**
er	freute **sich**	**er**	freute **sich**
wir	freuten **uns**	**wir**	freuten **uns**
ihr	freutet **euch**	**ihr**	freutet **euch**
sie	freuten **sich**	**sie**	freuten **sich**
FUTURE INDICATIVE		*CONDITIONAL*	
ich	werde **mich** freuen	**ich**	würde **mich** freuen
du	wirst **dich** freuen	**du**	würdest **dich** freuen
er	wird **sich** freuen	**er**	würde **sich** freuen
wir	werden **uns** freuen	**wir**	würden **uns** freuen
ihr	werdet **euch** freuen	**ihr**	würdet **euch** freuen
sie	werden **sich** freuen	**sie**	würden **sich** freuen
PERFECT INDICATIVE		*PLUPERFECT SUBJUNCTIVE*	
ich	habe **mich gefreut**	**ich**	hätte **mich gefreut**
du	hast **dich gefreut**	**du**	hättest **dich gefreut**
er	hat **sich gefreut**	**er**	hätte **sich gefreut**
wir	haben **uns gefreut**	**wir**	hätten **uns gefreut**
ihr	habt **euch gefreut**	**ihr**	hättet **euch gefreut**
sie	haben **sich gefreut**	**sie**	hätten **sich gefreut**

IMPERATIVE: freue **dich**! freuen **wir uns**! freut **euch**! freuen **Sie sich**!

to freeze (*transitive/intransitive*)

PRESENT PARTICIPLE	*PAST PARTICIPLE*
frierend	**gefroren**

PRESENT INDICATIVE	*PRESENT SUBJUNCTIVE*
ich friere	**ich** friere
du frierst	**du** frierest
er friert	**er** friere
wir frieren	**wir** frieren
ihr friert	**ihr** frieret
sie frieren	**sie** frieren
IMPERFECT INDICATIVE	*IMPERFECT SUBJUNCTIVE*
ich fror	**ich fröre**
du frorst	**du frörest**
er fror	**er fröre**
wir froren	**wir frören**
ihr frort	**ihr fröret**
sie froren	**sie frören**
FUTURE INDICATIVE	*CONDITIONAL*
ich werde frieren	**ich** würde frieren
du wirst frieren	**du** würdest frieren
er wird frieren	**er** würde frieren
wir werden frieren	**wir** würden frieren
ihr werdet frieren	**ihr** würdet frieren
sie werden frieren	**sie** würden frieren
PERFECT INDICATIVE	*PLUPERFECT SUBJUNCTIVE*
ich habe **gefroren***	**ich** hätte **gefroren***
du hast **gefroren**	**du** hättest **gefroren**
er hat **gefroren**	**er** hätte **gefroren**
wir haben **gefroren**	**wir** hätten **gefroren**
ihr habt **gefroren**	**ihr** hättet **gefroren**
sie haben **gefroren**	**sie** hätten **gefroren**

IMPERATIVE: frier(e)! frieren **wir**! friert! frieren **Sie**!

OR*: **ich bin/wäre **gefroren** *etc when the meaning is "to freeze over".*

47 **gären** [strong, *haben/sein*]

to ferment (*transitive/intransitive*)

PRESENT PARTICIPLE	*PAST PARTICIPLE*
gärend	**gegoren**

PRESENT INDICATIVE		*PRESENT SUBJUNCTIVE*	
ich	gäre	**ich**	gäre
du	gärst	**du**	gärest
er	gärt	**er**	gäre
wir	gären	**wir**	gären
ihr	gärt	**ihr**	gäret
sie	gären	**sie**	gären
IMPERFECT INDICATIVE		*IMPERFECT SUBJUNCTIVE*	
ich	**gor**	**ich**	**göre**
du	**gorst**	**du**	**görest**
er	**gor**	**er**	**göre**
wir	**goren**	**wir**	**gören**
ihr	**gort**	**ihr**	**göret**
sie	**goren**	**sie**	**gören**
FUTURE INDICATIVE		*CONDITIONAL*	
ich	werde gären	**ich**	würde gären
du	wirst gären	**du**	würdest gären
er	wird gären	**er**	würde gären
wir	werden gären	**wir**	würden gären
ihr	werdet gären	**ihr**	würdet gären
sie	werden gären	**sie**	würden gären
PERFECT INDICATIVE		*PLUPERFECT SUBJUNCTIVE*	
ich	habe **gegoren***	**ich**	hätte **gegoren***
du	hast **gegoren**	**du**	hättest **gegoren**
er	hat **gegoren**	**er**	hätte **gegoren**
wir	haben **gegoren**	**wir**	hätten **gegoren**
ihr	habt **gegoren**	**ihr**	hättet **gegoren**
sie	haben **gegoren**	**sie**	hätten **gegoren**

IMPERATIVE: gär(**e**)! gären **wir**! gärt! gären **Sie**!
OR*: **ich bin/wäre **gegoren** *etc* (*when intransitive*).

to give birth

PRESENT PARTICIPLE	*PAST PARTICIPLE*
gebärend	**geboren**

PRESENT INDICATIVE		*PRESENT SUBJUNCTIVE*	
ich	gebäre	**ich**	gebäre
du	**gebierst**	**du**	gebärest
er	**gebiert**	**er**	gebäre
wir	gebären	**wir**	gebären
ihr	gebärt	**ihr**	gebäret
sie	gebären	**sie**	gebären
IMPERFECT INDICATIVE		*IMPERFECT SUBJUNCTIVE*	
ich	**gebar**	**ich**	gebäre
du	**gebarst**	**du**	gebärest
er	**gebar**	**er**	gebäre
wir	**gebaren**	**wir**	gebären
ihr	**gebart**	**ihr**	gebäret
sie	**gebaren**	**sie**	gebären
FUTURE INDICATIVE		*CONDITIONAL*	
ich	werde gebären	**ich**	würde gebären
du	wirst gebären	**du**	würdest gebären
er	wird gebären	**er**	würde gebären
wir	werden gebären	**wir**	würden gebären
ihr	werdet gebären	**ihr**	würdet gebären
sie	werden gebären	**sie**	würden gebären
PERFECT INDICATIVE		*PLUPERFECT SUBJUNCTIVE*	
ich	habe **geboren**	**ich**	hätte **geboren**
du	hast **geboren**	**du**	hättest **geboren**
er	hat **geboren**	**er**	hätte **geboren**
wir	haben **geboren**	**wir**	hätten **geboren**
ihr	habt **geboren**	**ihr**	hättet **geboren**
sie	haben **geboren**	**sie**	hätten **geboren**

IMPERATIVE: **gebier**! gebären **wir**! gebärt! gebären **Sie**!

49 **geben** [strong, *haben*]

to give

PRESENT PARTICIPLE	*PAST PARTICIPLE*
gebend	**gegeben**

PRESENT INDICATIVE		*PRESENT SUBJUNCTIVE*	
ich	gebe	**ich**	gebe
du	**gibst**	**du**	gebest
er	**gibt**	**er**	gebe
wir	geben	**wir**	geben
ihr	gebt	**ihr**	gebet
sie	geben	**sie**	geben
IMPERFECT INDICATIVE		*IMPERFECT SUBJUNCTIVE*	
ich	**gab**	**ich**	**gäbe**
du	**gabst**	**du**	**gäbest**
er	**gab**	**er**	**gäbe**
wir	**gaben**	**wir**	**gäben**
ihr	**gabt**	**ihr**	**gäbet**
sie	**gaben**	**sie**	**gäben**
FUTURE INDICATIVE		*CONDITIONAL*	
ich	werde geben	**ich**	würde geben
du	wirst geben	**du**	würdest geben
er	wird geben	**er**	würde geben
wir	werden geben	**wir**	würden geben
ihr	werdet geben	**ihr**	würdet geben
sie	werden geben	**sie**	würden geben
PERFECT INDICATIVE		*PLUPERFECT SUBJUNCTIVE*	
ich	habe **gegeben**	**ich**	hätte **gegeben**
du	hast **gegeben**	**du**	hättest **gegeben**
er	hat **gegeben**	**er**	hätte **gegeben**
wir	haben **gegeben**	**wir**	hätten **gegeben**
ihr	habt **gegeben**	**ihr**	hättet **gegeben**
sie	haben **gegeben**	**sie**	hätten **gegeben**

IMPERATIVE: **gib**! geben **wir**! gebt! geben **Sie**!

to thrive

PRESENT PARTICIPLE	*PAST PARTICIPLE*
gedeihend	**gediehen**

PRESENT INDICATIVE		*PRESENT SUBJUNCTIVE*	
ich	gedeihe	**ich**	gedeihe
du	gedeihst	**du**	gedeihest
er	gedeiht	**er**	gedeihe
wir	gedeihen	**wir**	gedeihen
ihr	gedeiht	**ihr**	gedeihet
sie	gedeihen	**sie**	gedeihen
IMPERFECT INDICATIVE		*IMPERFECT SUBJUNCTIVE*	
ich	**gedieh**	**ich**	**gediehe**
du	**gediehst**	**du**	**gediehest**
er	**gedieh**	**er**	**gediehe**
wir	**gediehen**	**wir**	**gediehen**
ihr	**gedieht**	**ihr**	**gediehet**
sie	**gediehen**	**sie**	**gediehen**
FUTURE INDICATIVE		*CONDITIONAL*	
ich	werde gedeihen	**ich**	würde gedeihen
du	wirst gedeihen	**du**	würdest gedeihen
er	wird gedeihen	**er**	würde gedeihen
wir	werden gedeihen	**wir**	würden gedeihen
ihr	werdet gedeihen	**ihr**	würdet gedeihen
sie	werden gedeihen	**sie**	würden gedeihen
PERFECT INDICATIVE		*PLUPERFECT SUBJUNCTIVE*	
ich	bin **gediehen**	**ich**	wäre **gediehen**
du	bist **gediehen**	**du**	wär(e)st **gediehen**
er	ist **gediehen**	**er**	wäre **gediehen**
wir	sind **gediehen**	**wir**	wären **gediehen**
ihr	seid **gediehen**	**ihr**	wär(e)t **gediehen**
sie	sind **gediehen**	**sie**	wären **gediehen**

IMPERATIVE: gedeih(**e**)! gedeihen **wir**! gedeiht! gedeihen **Sie**!

51 **gehen** [strong, *sein*]

to go

PRESENT PARTICIPLE	*PAST PARTICIPLE*
gehend	**gegangen**

PRESENT INDICATIVE

ich	gehe
du	gehst
er	geht
wir	gehen
ihr	geht
sie	gehen

PRESENT SUBJUNCTIVE

ich	gehe
du	gehest
er	gehe
wir	gehen
ihr	gehet
sie	gehen

IMPERFECT INDICATIVE

ich	**ging**
du	**gingst**
er	**ging**
wir	**gingen**
ihr	**gingt**
sie	**gingen**

IMPERFECT SUBJUNCTIVE

ich	**ginge**
du	**gingest**
er	**ginge**
wir	**gingen**
ihr	**ginget**
sie	**gingen**

FUTURE INDICATIVE

ich	werde gehen
du	wirst gehen
er	wird gehen
wir	werden gehen
ihr	werdet gehen
sie	werden gehen

CONDITIONAL

ich	würde gehen
du	würdest gehen
er	würde gehen
wir	würden gehen
ihr	würdet gehen
sie	würden gehen

PERFECT INDICATIVE

ich	bin **gegangen**
du	bist **gegangen**
er	ist **gegangen**
wir	sind **gegangen**
ihr	seid **gegangen**
sie	sind **gegangen**

PLUPERFECT SUBJUNCTIVE

ich	wäre **gegangen**
du	wär(e)st **gegangen**
er	wäre **gegangen**
wir	wären **gegangen**
ihr	wär(e)t **gegangen**
sie	wären **gegangen**

IMPERATIVE: geh(**e**)! gehen **wir**! geht! gehen **Sie**!

[weak, inseparable, *haben*] **gehorchen** 52

to obey

PRESENT PARTICIPLE
gehorchend

PAST PARTICIPLE
gehorcht

PRESENT INDICATIVE

ich	gehorche
du	gehorchst
er	gehorcht
wir	gehorchen
ihr	gehorcht
sie	gehorchen

IMPERFECT INDICATIVE

ich	gehorchte
du	gehorchtest
er	gehorchte
wir	gehorchten
ihr	gehorchtet
sie	gehorchten

FUTURE INDICATIVE

ich	werde gehorchen
du	wirst gehorchen
er	wird gehorchen
wir	werden gehorchen
ihr	werdet gehorchen
sie	werden gehorchen

PERFECT INDICATIVE

ich	habe gehorcht
du	hast gehorcht
er	hat gehorcht
wir	haben gehorcht
ihr	habt gehorcht
sie	haben gehorcht

PRESENT SUBJUNCTIVE

ich	gehorche
du	gehorchest
er	gehorche
wir	gehorchen
ihr	gehorchet
sie	gehorchen

IMPERFECT SUBJUNCTIVE

ich	gehorchte
du	gehorchtest
er	gehorchte
wir	gehorchten
ihr	gehorchtet
sie	gehorchten

CONDITIONAL

ich	würde gehorchen
du	würdest gehorchen
er	würde gehorchen
wir	würden gehorchen
ihr	würdet gehorchen
sie	würden gehorchen

PLUPERFECT SUBJUNCTIVE

ich	hätte gehorcht
du	hättest gehorcht
er	hätte gehorcht
wir	hätten gehorcht
ihr	hättet gehorcht
sie	hätten gehorcht

IMPERATIVE: gehorch(**e**)! gehorch**en wir**! gehorch**t**! gehorch**en Sie**!

53 **gelingen** [strong, impersonal, *sein*]
to succeed

PRESENT PARTICIPLE	*PAST PARTICIPLE*
gelingen**d**	**gelungen**

PRESENT INDICATIVE	*PRESENT SUBJUNCTIVE*
es geling**t**	**es** geling**e**
IMPERFECT INDICATIVE	*IMPERFECT SUBJUNCTIVE*
es **gelang**	**es** **gelänge**
FUTURE INDICATIVE	*CONDITIONAL*
es wird gelingen	**es** würde gelingen
PERFECT INDICATIVE	*PLUPERFECT SUBJUNCTIVE*
es ist **gelungen**	**es** wäre **gelungen**

This verb is used only in the third person singular.

to be valid; to be considered

PRESENT PARTICIPLE	*PAST PARTICIPLE*
geltend	**gegolten**

PRESENT INDICATIVE		*PRESENT SUBJUNCTIVE*	
ich	gelte	**ich**	gelte
du	**giltst**	**du**	geltest
er	**gilt**	**er**	gelte
wir	gelten	**wir**	gelten
ihr	geltet	**ihr**	geltet
sie	gelten	**sie**	gelten
IMPERFECT INDICATIVE		*IMPERFECT SUBJUNCTIVE*	
ich	**galt**	**ich**	**gälte**
du	**galt(e)st**	**du**	**gältest**
er	**galt**	**er**	**gälte**
wir	**galten**	**wir**	**gälten**
ihr	**galtet**	**ihr**	**gältet**
sie	**galten**	**sie**	**gälten**
FUTURE INDICATIVE		*CONDITIONAL*	
ich	werde gelten	**ich**	würde gelten
du	wirst gelten	**du**	würdest gelten
er	wird gelten	**er**	würde gelten
wir	werden gelten	**wir**	würden gelten
ihr	werdet gelten	**ihr**	würdet gelten
sie	werden gelten	**sie**	würden gelten
PERFECT INDICATIVE		*PLUPERFECT SUBJUNCTIVE*	
ich	habe **gegolten**	**ich**	hätte **gegolten**
du	hast **gegolten**	**du**	hättest **gegolten**
er	hat **gegolten**	**er**	hätte **gegolten**
wir	haben **gegolten**	**wir**	hätten **gegolten**
ihr	habt **gegolten**	**ihr**	hättet **gegolten**
sie	haben **gegolten**	**sie**	hätten **gegolten**

IMPERATIVE: **gilt**! gelten **wir**! geltet! gelten **Sie**!

55 **genesen** [strong, inseparable, *sein*]

to recover

PRESENT PARTICIPLE	*PAST PARTICIPLE*
genesen**d**	**genesen**

PRESENT INDICATIVE		*PRESENT SUBJUNCTIVE*	
ich	genes**e**	**ich**	genes**e**
du	genes**t**	**du**	genes**est**
er	genes**t**	**er**	genes**e**
wir	genes**en**	**wir**	genes**en**
ihr	genes**t**	**ihr**	genes**et**
sie	genes**en**	**sie**	genes**en**

IMPERFECT INDICATIVE		*IMPERFECT SUBJUNCTIVE*	
ich	**genas**	**ich**	**genäse**
du	**genasest**	**du**	**genäsest**
er	**genas**	**er**	**genäse**
wir	**genasen**	**wir**	**genäsen**
ihr	**genast**	**ihr**	**genäset**
sie	**genasen**	**sie**	**genäsen**

FUTURE INDICATIVE		*CONDITIONAL*	
ich	werde genesen	**ich**	würde genesen
du	wirst genesen	**du**	würdest genesen
er	wird genesen	**er**	würde genesen
wir	werden genesen	**wir**	würden genesen
ihr	werdet genesen	**ihr**	würdet genesen
sie	werden genesen	**sie**	würden genesen

PERFECT INDICATIVE		*PLUPERFECT SUBJUNCTIVE*	
ich	bin **genesen**	**ich**	wäre **genesen**
du	bist **genesen**	**du**	wär(e)st **genesen**
er	ist **genesen**	**er**	wäre **genesen**
wir	sind **genesen**	**wir**	wären **genesen**
ihr	seid **genesen**	**ihr**	wär(e)t **genesen**
sie	sind **genesen**	**sie**	wären **genesen**

IMPERATIVE: genes**e**! genes**en wir**! genes**t**! genes**en Sie**!

to enjoy

PRESENT PARTICIPLE	*PAST PARTICIPLE*
genieß**end**	**genossen**

PRESENT INDICATIVE		*PRESENT SUBJUNCTIVE*	
ich	genieß**e**	**ich**	genieß**e**
du	genieß**t**	**du**	genieß**est**
er	genieß**t**	**er**	genieß**e**
wir	genieß**en**	**wir**	genieß**en**
ihr	genieß**t**	**ihr**	genieß**et**
sie	genieß**en**	**sie**	genieß**en**
IMPERFECT INDICATIVE		*IMPERFECT SUBJUNCTIVE*	
ich	**genoß**	**ich**	**genösse**
du	**genossest**	**du**	**genössest**
er	**genoß**	**er**	**genösse**
wir	**genossen**	**wir**	**genössen**
ihr	**genoßt**	**ihr**	**genösset**
sie	**genossen**	**sie**	**genössen**
FUTURE INDICATIVE		*CONDITIONAL*	
ich	werde genießen	**ich**	würde genießen
du	wirst genießen	**du**	würdest genießen
er	wird genießen	**er**	würde genießen
wir	werden genießen	**wir**	würden genießen
ihr	werdet genießen	**ihr**	würdet genießen
sie	werden genießen	**sie**	würden genießen
PERFECT INDICATIVE		*PLUPERFECT SUBJUNCTIVE*	
ich	habe **genossen**	**ich**	hätte **genossen**
du	hast **genossen**	**du**	hättest **genossen**
er	hat **genossen**	**er**	hätte **genossen**
wir	haben **genossen**	**wir**	hätten **genossen**
ihr	habt **genossen**	**ihr**	hättet **genossen**
sie	haben **genossen**	**sie**	hätten **genossen**

IMPERATIVE: genieß(**e**)! genieß**en wir**! genieß**t**! genieß**en Sie**!

57 **geraten** [strong, inseparable, *sein*]

to turn out (*well etc*); to get (*into an emotional state, danger etc*)

PRESENT PARTICIPLE	*PAST PARTICIPLE*
geratend	**geraten**

PRESENT INDICATIVE		*PRESENT SUBJUNCTIVE*	
ich	gerate	**ich**	gerate
du	gerätst	**du**	geratest
er	gerät	**er**	gerate
wir	geraten	**wir**	geraten
ihr	geratet	**ihr**	geratet
sie	geraten	**sie**	geraten
IMPERFECT INDICATIVE		*IMPERFECT SUBJUNCTIVE*	
ich	**geriet**	**ich**	**geriete**
du	**geriet(e)st**	**du**	**gerietest**
er	**geriet**	**er**	**geriete**
wir	**gerieten**	**wir**	**gerieten**
ihr	**gerietet**	**ihr**	**gerietet**
sie	**gerieten**	**sie**	**gerieten**
FUTURE INDICATIVE		*CONDITIONAL*	
ich	werde geraten	**ich**	würde geraten
du	wirst geraten	**du**	würdest geraten
er	wird geraten	**er**	würde geraten
wir	werden geraten	**wir**	würden geraten
ihr	werdet geraten	**ihr**	würdet geraten
sie	werden geraten	**sie**	würden geraten
PERFECT INDICATIVE		*PLUPERFECT SUBJUNCTIVE*	
ich	bin **geraten**	**ich**	wäre **geraten**
du	bist **geraten**	**du**	wär(e)st **geraten**
er	ist **geraten**	**er**	wäre **geraten**
wir	sind **geraten**	**wir**	wären **geraten**
ihr	seid **geraten**	**ihr**	wär(e)t **geraten**
sie	sind **geraten**	**sie**	wären **geraten**

IMPERATIVE: gerat(**e**)! geraten **wir**! geratet! geraten **Sie**!

to happen

PRESENT PARTICIPLE	*PAST PARTICIPLE*
geschehend	**geschehen**

PRESENT INDICATIVE **es** **geschieht**	*PRESENT SUBJUNCTIVE* **es** geschehe
IMPERFECT INDICATIVE **es** **geschah**	*IMPERFECT SUBJUNCTIVE* **es** **geschähe**
FUTURE INDICATIVE **es** wird geschehen	*CONDITIONAL* **es** würde geschehen
PERFECT INDICATIVE **es** ist **geschehen**	*PLUPERFECT SUBJUNCTIVE* **es** wäre **geschehen**

This verb is used only in the third person singular.

59 **gewinnen** [strong, inseparable, *haben*]

to win

PRESENT PARTICIPLE	*PAST PARTICIPLE*
gewinnend	**gewonnen**

PRESENT INDICATIVE		*PRESENT SUBJUNCTIVE*	
ich	gewinne	**ich**	gewinne
du	gewinnst	**du**	gewinnest
er	gewinnt	**er**	gewinne
wir	gewinnen	**wir**	gewinnen
ihr	gewinnt	**ihr**	gewinnet
sie	gewinnen	**sie**	gewinnen
IMPERFECT INDICATIVE		*IMPERFECT SUBJUNCTIVE*	
ich	**gewann**	**ich**	**gewönne**
du	**gewannst**	**du**	**gewönnest**
er	**gewann**	**er**	**gewönne**
wir	**gewannen**	**wir**	**gewönnen**
ihr	**gewannt**	**ihr**	**gewönnet**
sie	**gewannen**	**sie**	**gewönnen**
FUTURE INDICATIVE		*CONDITIONAL*	
ich	werde gewinnen	**ich**	würde gewinnen
du	wirst gewinnen	**du**	würdest gewinnen
er	wird gewinnen	**er**	würde gewinnen
wir	werden gewinnen	**wir**	würden gewinnen
ihr	werdet gewinnen	**ihr**	würdet gewinnen
sie	werden gewinnen	**sie**	würden gewinnen
PERFECT INDICATIVE		*PLUPERFECT SUBJUNCTIVE*	
ich	habe **gewonnen**	**ich**	hätte **gewonnen**
du	hast **gewonnen**	**du**	hättest **gewonnen**
er	hat **gewonnen**	**er**	hätte **gewonnen**
wir	haben **gewonnen**	**wir**	hätten **gewonnen**
ihr	habt **gewonnen**	**ihr**	hättet **gewonnen**
sie	haben **gewonnen**	**sie**	hätten **gewonnen**

IMPERATIVE: gewinn(**e**)! gewinnen **wir**! gewinnt! gewinnen **Sie**!

to pour

PRESENT PARTICIPLE	*PAST PARTICIPLE*
gieß**end**	**gegossen**

PRESENT INDICATIVE	*PRESENT SUBJUNCTIVE*
ich gieß**e**	**ich** gieß**e**
du gieß**t**	**du** gieß**est**
er gieß**t**	**er** gieß**e**
wir gieß**en**	**wir** gieß**en**
ihr gieß**t**	**ihr** gieß**et**
sie gieß**en**	**sie** gieß**en**
IMPERFECT INDICATIVE	*IMPERFECT SUBJUNCTIVE*
ich **goß**	**ich** **gösse**
du **gossest**	**du** **gössest**
er **goß**	**er** **gösse**
wir **gossen**	**wir** **gössen**
ihr **goßt**	**ihr** **gösset**
sie **gossen**	**sie** **gössen**
FUTURE INDICATIVE	*CONDITIONAL*
ich werde gießen	**ich** würde gießen
du wirst gießen	**du** würdest gießen
er wird gießen	**er** würde gießen
wir werden gießen	**wir** würden gießen
ihr werdet gießen	**ihr** würdet gießen
sie werden gießen	**sie** würden gießen
PERFECT INDICATIVE	*PLUPERFECT SUBJUNCTIVE*
ich habe **gegossen**	**ich** hätte **gegossen**
du hast **gegossen**	**du** hättest **gegossen**
er hat **gegossen**	**er** hätte **gegossen**
wir haben **gegossen**	**wir** hätten **gegossen**
ihr habt **gegossen**	**ihr** hättet **gegossen**
sie haben **gegossen**	**sie** hätten **gegossen**

IMPERATIVE: gieß(**e**)! gieß**en wir**! gieß**t**! gieß**en Sie**!

61 **gleichen** [strong, *haben*]

to resemble; to equal

PRESENT PARTICIPLE	*PAST PARTICIPLE*
gleichen**d**	**geglichen**

PRESENT INDICATIVE		*PRESENT SUBJUNCTIVE*	
ich	gleich**e**	**ich**	gleich**e**
du	gleich**st**	**du**	gleich**est**
er	gleich**t**	**er**	gleich**e**
wir	gleich**en**	**wir**	gleich**en**
ihr	gleich**t**	**ihr**	gleich**et**
sie	gleich**en**	**sie**	gleich**en**
IMPERFECT INDICATIVE		*IMPERFECT SUBJUNCTIVE*	
ich	**glich**	**ich**	**gliche**
du	**glichst**	**du**	**glichest**
er	**glich**	**er**	**gliche**
wir	**glichen**	**wir**	**glichen**
ihr	**glicht**	**ihr**	**glichet**
sie	**glichen**	**sie**	**glichen**
FUTURE INDICATIVE		*CONDITIONAL*	
ich	werde gleichen	**ich**	würde gleichen
du	wirst gleichen	**du**	würdest gleichen
er	wird gleichen	**er**	würde gleichen
wir	werden gleichen	**wir**	würden gleichen
ihr	werdet gleichen	**ihr**	würdet gleichen
sie	werden gleichen	**sie**	würden gleichen
PERFECT INDICATIVE		*PLUPERFECT SUBJUNCTIVE*	
ich	habe **geglichen**	**ich**	hätte **geglichen**
du	hast **geglichen**	**du**	hättest **geglichen**
er	hat **geglichen**	**er**	hätte **geglichen**
wir	haben **geglichen**	**wir**	hätten **geglichen**
ihr	habt **geglichen**	**ihr**	hättet **geglichen**
sie	haben **geglichen**	**sie**	hätten **geglichen**

IMPERATIVE: gleich(**e**)! gleich**en wir**! gleich**t**! gleich**en Sie**!

[strong, *sein*] **gleiten** 62

to glide, slide

PRESENT PARTICIPLE	*PAST PARTICIPLE*
gleitend	**geglitten**

PRESENT INDICATIVE		*PRESENT SUBJUNCTIVE*	
ich	gleite	**ich**	gleite
du	gleitest	**du**	gleitest
er	gleitet	**er**	gleite
wir	gleiten	**wir**	gleiten
ihr	gleitet	**ihr**	gleitet
sie	gleiten	**sie**	gleiten
IMPERFECT INDICATIVE		*IMPERFECT SUBJUNCTIVE*	
ich	**glitt**	**ich**	**glitte**
du	**glitt(e)st**	**du**	**glittest**
er	**glitt**	**er**	**glitte**
wir	**glitten**	**wir**	**glitten**
ihr	**glittet**	**ihr**	**glittet**
sie	**glitten**	**sie**	**glitten**
FUTURE INDICATIVE		*CONDITIONAL*	
ich	werde gleiten	**ich**	würde gleiten
du	wirst gleiten	**du**	würdest gleiten
er	wird gleiten	**er**	würde gleiten
wir	werden gleiten	**wir**	würden gleiten
ihr	werdet gleiten	**ihr**	würdet gleiten
sie	werden gleiten	**sie**	würden gleiten
PERFECT INDICATIVE		*PLUPERFECT SUBJUNCTIVE*	
ich	bin **geglitten**	**ich**	wäre **geglitten**
du	bist **geglitten**	**du**	wär(e)st **geglitten**
er	ist **geglitten**	**er**	wäre **geglitten**
wir	sind **geglitten**	**wir**	wären **geglitten**
ihr	seid **geglitten**	**ihr**	wär(e)t **geglitten**
sie	sind **geglitten**	**sie**	wären **geglitten**

IMPERATIVE: gleit(e)! gleiten **wir**! gleitet! gleiten **Sie**!

63 **glimmen** [strong, *haben*]

to glimmer

PRESENT PARTICIPLE	*PAST PARTICIPLE*
glimmen**d**	**geglommen**

PRESENT INDICATIVE		*PRESENT SUBJUNCTIVE*	
ich	glimm**e**	**ich**	glimm**e**
du	glimm**st**	**du**	glimm**est**
er	glimm**t**	**er**	glimm**e**
wir	glimm**en**	**wir**	glimm**en**
ihr	glimm**t**	**ihr**	glimm**et**
sie	glimm**en**	**sie**	glimm**en**
IMPERFECT INDICATIVE		*IMPERFECT SUBJUNCTIVE*	
ich	**glomm**	**ich**	**glömme**
du	**glommst**	**du**	**glömmest**
er	**glomm**	**er**	**glömme**
wir	**glommen**	**wir**	**glömmen**
ihr	**glommt**	**ihr**	**glömmet**
sie	**glommen**	**sie**	**glömmen**
FUTURE INDICATIVE		*CONDITIONAL*	
ich	werde glimmen	**ich**	würde glimmen
du	wirst glimmen	**du**	würdest glimmen
er	wird glimmen	**er**	würde glimmen
wir	werden glimmen	**wir**	würden glimmen
ihr	werdet glimmen	**ihr**	würdet glimmen
sie	werden glimmen	**sie**	würden glimmen
PERFECT INDICATIVE		*PLUPERFECT SUBJUNCTIVE*	
ich	habe **geglommen**	**ich**	hätte **geglommen**
du	hast **geglommen**	**du**	hättest **geglommen**
er	hat **geglommen**	**er**	hätte **geglommen**
wir	haben **geglommen**	**wir**	hätten **geglommen**
ihr	habt **geglommen**	**ihr**	hättet **geglommen**
sie	haben **geglommen**	**sie**	hätten **geglommen**

IMPERATIVE: glimm(**e**)! glimm**en wir**! glimm**t**! glimm**en Sie**!

PRESENT PARTICIPLE	*PAST PARTICIPLE*
grabend	**gegraben**

PRESENT INDICATIVE		*PRESENT SUBJUNCTIVE*	
ich	grabe	**ich**	grabe
du	**gräbst**	**du**	grabest
er	**gräbt**	**er**	grabe
wir	graben	**wir**	graben
ihr	grabt	**ihr**	grabet
sie	graben	**sie**	graben
IMPERFECT INDICATIVE		*IMPERFECT SUBJUNCTIVE*	
ich	**grub**	**ich**	**grübe**
du	**grubst**	**du**	**grübest**
er	**grub**	**er**	**grübe**
wir	**gruben**	**wir**	**grüben**
ihr	**grubt**	**ihr**	**grübet**
sie	**gruben**	**sie**	**grüben**
FUTURE INDICATIVE		*CONDITIONAL*	
ich	werde graben	**ich**	würde graben
du	wirst graben	**du**	würdest graben
er	wird graben	**er**	würde graben
wir	werden graben	**wir**	würden graben
ihr	werdet graben	**ihr**	würdet graben
sie	werden graben	**sie**	würden graben
PERFECT INDICATIVE		*PLUPERFECT SUBJUNCTIVE*	
ich	habe **gegraben**	**ich**	hätte **gegraben**
du	hast **gegraben**	**du**	hättest **gegraben**
er	hat **gegraben**	**er**	hätte **gegraben**
wir	haben **gegraben**	**wir**	hätten **gegraben**
ihr	habt **gegraben**	**ihr**	hättet **gegraben**
sie	haben **gegraben**	**sie**	hätten **gegraben**

IMPERATIVE: grab(**e**)! graben **wir**! grabt! graben **Sie**!

65 **greifen** [strong, *haben*]

to take hold of, seize

PRESENT PARTICIPLE	*PAST PARTICIPLE*
greifend	**gegriffen**

PRESENT INDICATIVE		*PRESENT SUBJUNCTIVE*	
ich	greife	**ich**	greife
du	greifst	**du**	greifest
er	greift	**er**	greife
wir	greifen	**wir**	greifen
ihr	greift	**ihr**	greifet
sie	greifen	**sie**	greifen
IMPERFECT INDICATIVE		*IMPERFECT SUBJUNCTIVE*	
ich	**griff**	**ich**	**griffe**
du	**griffst**	**du**	**griffest**
er	**griff**	**er**	**griffe**
wir	**griffen**	**wir**	**griffen**
ihr	**grifft**	**ihr**	**griffet**
sie	**griffen**	**sie**	**griffen**
FUTURE INDICATIVE		*CONDITIONAL*	
ich	werde greifen	**ich**	würde greifen
du	wirst greifen	**du**	würdest greifen
er	wird greifen	**er**	würde greifen
wir	werden greifen	**wir**	würden greifen
ihr	werdet greifen	**ihr**	würdet greifen
sie	werden greifen	**sie**	würden greifen
PERFECT INDICATIVE		*PLUPERFECT SUBJUNCTIVE*	
ich	habe **gegriffen**	**ich**	hätte **gegriffen**
du	hast **gegriffen**	**du**	hättest **gegriffen**
er	hat **gegriffen**	**er**	hätte **gegriffen**
wir	haben **gegriffen**	**wir**	hätten **gegriffen**
ihr	habt **gegriffen**	**ihr**	hättet **gegriffen**
sie	haben **gegriffen**	**sie**	hätten **gegriffen**

IMPERATIVE: greif(**e**)! greifen **wir**! greift! greifen **Sie**!

to greet

PRESENT PARTICIPLE	*PAST PARTICIPLE*
grüßend	gegrüßt

PRESENT INDICATIVE		*PRESENT SUBJUNCTIVE*	
ich	grüße	**ich**	grüße
du	grüßt	**du**	grüßest
er	grüßt	**er**	grüße
wir	grüßen	**wir**	grüßen
ihr	grüßt	**ihr**	grüßet
sie	grüßen	**sie**	grüßen
IMPERFECT INDICATIVE		*IMPERFECT SUBJUNCTIVE*	
ich	grüßte	**ich**	grüßte
du	grüßtest	**du**	grüßtest
er	grüßte	**er**	grüßte
wir	grüßten	**wir**	grüßten
ihr	grüßtet	**ihr**	grüßtet
sie	grüßten	**sie**	grüßten
FUTURE INDICATIVE		*CONDITIONAL*	
ich	werde grüßen	**ich**	würde grüßen
du	wirst grüßen	**du**	würdest grüßen
er	wird grüßen	**er**	würde grüßen
wir	werden grüßen	**wir**	würden grüßen
ihr	werdet grüßen	**ihr**	würdet grüßen
sie	werden grüßen	**sie**	würden grüßen
PERFECT INDICATIVE		*PLUPERFECT SUBJUNCTIVE*	
ich	habe gegrüßt	**ich**	hätte gegrüßt
du	hast gegrüßt	**du**	hättest gegrüßt
er	hat gegrüßt	**er**	hätte gegrüßt
wir	haben gegrüßt	**wir**	hätten gegrüßt
ihr	habt gegrüßt	**ihr**	hättet gegrüßt
sie	haben gegrüßt	**sie**	hätten gegrüßt

IMPERATIVE: grüß(e)! grüßen **wir**! grüßt! grüßen **Sie**!

67 **haben** [strong, *haben*]

to have

PRESENT PARTICIPLE	*PAST PARTICIPLE*
haben**d**	**ge**hab**t**

PRESENT INDICATIVE		*PRESENT SUBJUNCTIVE*	
ich	hab**e**	**ich**	hab**e**
du	**hast**	**du**	hab**est**
er	**hat**	**er**	hab**e**
wir	hab**en**	**wir**	hab**en**
ihr	hab**t**	**ihr**	hab**et**
sie	hab**en**	**sie**	hab**en**

IMPERFECT INDICATIVE		*IMPERFECT SUBJUNCTIVE*	
ich	**hatte**	**ich**	**hätte**
du	**hattest**	**du**	**hättest**
er	**hatte**	**er**	**hätte**
wir	**hatten**	**wir**	**hätten**
ihr	**hattet**	**ihr**	**hättet**
sie	**hatten**	**sie**	**hätten**

FUTURE INDICATIVE		*CONDITIONAL*	
ich	werde haben	**ich**	würde haben
du	wirst haben	**du**	würdest haben
er	wird haben	**er**	würde haben
wir	werden haben	**wir**	würden haben
ihr	werdet haben	**ihr**	würdet haben
sie	werden haben	**sie**	würden haben

PERFECT INDICATIVE		*PLUPERFECT SUBJUNCTIVE*	
ich	habe **ge**hab**t**	**ich**	hätte **gehabt**
du	hast **ge**hab**t**	**du**	hättest **gehabt**
er	hat **ge**hab**t**	**er**	hätte **gehabt**
wir	haben **ge**hab**t**	**wir**	hätten **gehabt**
ihr	habt **ge**hab**t**	**ihr**	hättet **gehabt**
sie	haben **ge**hab**t**	**sie**	hätten **gehabt**

IMPERATIVE: hab(**e**)! hab**en wir**! hab**t**! hab**en Sie**!

to hold

PRESENT PARTICIPLE	*PAST PARTICIPLE*
haltend	**gehalten**

PRESENT INDICATIVE		*PRESENT SUBJUNCTIVE*	
ich	halte	**ich**	halte
du	**hältst**	**du**	haltest
er	**hält**	**er**	halte
wir	halten	**wir**	halten
ihr	haltet	**ihr**	haltet
sie	halten	**sie**	halten
IMPERFECT INDICATIVE		*IMPERFECT SUBJUNCTIVE*	
ich	**hielt**	**ich**	**hielte**
du	**hielt(e)st**	**du**	**hieltest**
er	**hielt**	**er**	**hielte**
wir	**hielten**	**wir**	**hielten**
ihr	**hieltet**	**ihr**	**hieltet**
sie	**hielten**	**sie**	**hielten**
FUTURE INDICATIVE		*CONDITIONAL*	
ich	werde halten	**ich**	würde halten
du	wirst halten	**du**	würdest halten
er	wird halten	**er**	würde halten
wir	werden halten	**wir**	würden halten
ihr	werdet halten	**ihr**	würdet halten
sie	werden halten	**sie**	würden halten
PERFECT INDICATIVE		*PLUPERFECT SUBJUNCTIVE*	
ich	habe **gehalten**	**ich**	hätte **gehalten**
du	hast **gehalten**	**du**	hättest **gehalten**
er	hat **gehalten**	**er**	hätte **gehalten**
wir	haben **gehalten**	**wir**	hätten **gehalten**
ihr	habt **gehalten**	**ihr**	hättet **gehalten**
sie	haben **gehalten**	**sie**	hätten **gehalten**

IMPERATIVE: halt(**e**)! halten **wir**! haltet! halten **Sie**!

69 **handeln** [weak, *haben*]
to trade; to act

PRESENT PARTICIPLE	*PAST PARTICIPLE*
handelnd	gehandelt

PRESENT INDICATIVE		*PRESENT SUBJUNCTIVE*	
ich	handle	ich	handle
du	handelst	du	handlest
er	handelt	er	handle
wir	handeln	wir	handlen
ihr	handelt	ihr	handlet
sie	handeln	sie	handlen
IMPERFECT INDICATIVE		*IMPERFECT SUBJUNCTIVE*	
ich	handelte	ich	handelte
du	handeltest	du	handeltest
er	handelte	er	handelte
wir	handelten	wir	handelten
ihr	handeltet	ihr	handeltet
sie	handelten	sie	handelten
FUTURE INDICATIVE		*CONDITIONAL*	
ich	werde handeln	ich	würde handeln
du	wirst handeln	du	würdest handeln
er	wird handeln	er	würde handeln
wir	werden handeln	wir	würden handeln
ihr	werdet handeln	ihr	würdet handeln
sie	werden handeln	sie	würden handeln
PERFECT INDICATIVE		*PLUPERFECT SUBJUNCTIVE*	
ich	habe gehandelt	ich	hätte gehandelt
du	hast gehandelt	du	hättest gehandelt
er	hat gehandelt	er	hätte gehandelt
wir	haben gehandelt	wir	hätten gehandelt
ihr	habt gehandelt	ihr	hättet gehandelt
sie	haben gehandelt	sie	hätten gehandelt

IMPERATIVE: **handle**! handeln **wir**! handelt! handeln **Sie**!

to hang

PRESENT PARTICIPLE	*PAST PARTICIPLE*
hängen**d**	**gehangen**

PRESENT INDICATIVE		*PRESENT SUBJUNCTIVE*	
ich	häng**e**	**ich**	häng**e**
du	häng**st**	**du**	häng**est**
er	häng**t**	**er**	häng**e**
wir	häng**en**	**wir**	häng**en**
ihr	häng**t**	**ihr**	häng**et**
sie	häng**en**	**sie**	häng**en**
IMPERFECT INDICATIVE		*IMPERFECT SUBJUNCTIVE*	
ich	**hing**	**ich**	**hinge**
du	**hingst**	**du**	**hingest**
er	**hing**	**er**	**hinge**
wir	**hingen**	**wir**	**hingen**
ihr	**hingt**	**ihr**	**hinget**
sie	**hingen**	**sie**	**hingen**
FUTURE INDICATIVE		*CONDITIONAL*	
ich	werde hängen	**ich**	würde hängen
du	wirst hängen	**du**	würdest hängen
er	wird hängen	**er**	würde hängen
wir	werden hängen	**wir**	würden hängen
ihr	werdet hängen	**ihr**	würdet hängen
sie	werden hängen	**sie**	würden hängen
PERFECT INDICATIVE		*PLUPERFECT SUBJUNCTIVE*	
ich	habe **gehangen**	**ich**	hätte **gehangen**
du	hast **gehangen**	**du**	hättest **gehangen**
er	hat **gehangen**	**er**	hätte **gehangen**
wir	haben **gehangen**	**wir**	hätten **gehangen**
ihr	habt **gehangen**	**ihr**	hättet **gehangen**
sie	haben **gehangen**	**sie**	hätten **gehangen**

IMPERATIVE: häng(**e**)! häng**en wir**! häng**t**! häng**en Sie**!

**Conjugated as a weak verb when transitive.*

71 **hauen*** [strong, *haben*]

to hew

PRESENT PARTICIPLE	*PAST PARTICIPLE*
hauend	**gehauen**

PRESENT INDICATIVE		*PRESENT SUBJUNCTIVE*	
ich	haue	**ich**	haue
du	haust	**du**	hauest
er	haut	**er**	haue
wir	hauen	**wir**	hauen
ihr	haut	**ihr**	hauet
sie	hauen	**sie**	hauen

IMPERFECT INDICATIVE		*IMPERFECT SUBJUNCTIVE*	
ich	**hieb**	**ich**	**hiebe**
du	**hiebst**	**du**	**hiebest**
er	**hieb**	**er**	**hiebe**
wir	**hieben**	**wir**	**hieben**
ihr	**hiebt**	**ihr**	**hiebet**
sie	**hieben**	**sie**	**hieben**

FUTURE INDICATIVE		*CONDITIONAL*	
ich	werde hauen	**ich**	würde hauen
du	wirst hauen	**du**	würdest hauen
er	wird hauen	**er**	würde hauen
wir	werden hauen	**wir**	würden hauen
ihr	werdet hauen	**ihr**	würdet hauen
sie	werden hauen	**sie**	würden hauen

PERFECT INDICATIVE		*PLUPERFECT SUBJUNCTIVE*	
ich	habe **gehauen**	**ich**	hätte **gehauen**
du	hast **gehauen**	**du**	hättest **gehauen**
er	hat **gehauen**	**er**	hätte **gehauen**
wir	haben **gehauen**	**wir**	hätten **gehauen**
ihr	habt **gehauen**	**ihr**	hättet **gehauen**
sie	haben **gehauen**	**sie**	hätten **gehauen**

IMPERATIVE: hau(e)! hauen **wir**! haut! hauen **Sie**!
**Can also be conjugated as a weak verb, see pp 5 ff.*

to lift

PRESENT PARTICIPLE	*PAST PARTICIPLE*
hebend	gehoben

PRESENT INDICATIVE		*PRESENT SUBJUNCTIVE*	
ich	hebe	**ich**	hebe
du	hebst	**du**	hebest
er	hebt	**er**	hebe
wir	heben	**wir**	heben
ihr	hebt	**ihr**	hebet
sie	heben	**sie**	heben
IMPERFECT INDICATIVE		*IMPERFECT SUBJUNCTIVE*	
ich	hob	**ich**	höbe
du	hobst	**du**	höbest
er	hob	**er**	höbe
wir	hoben	**wir**	höben
ihr	hobt	**ihr**	höbet
sie	hoben	**sie**	höben
FUTURE INDICATIVE		*CONDITIONAL*	
ich	werde heben	**ich**	würde heben
du	wirst heben	**du**	würdest heben
er	wird heben	**er**	würde heben
wir	werden heben	**wir**	würden heben
ihr	werdet heben	**ihr**	würdet heben
sie	werden heben	**sie**	würden heben
PERFECT INDICATIVE		*PLUPERFECT SUBJUNCTIVE*	
ich	habe gehoben	**ich**	hätte gehoben
du	hast gehoben	**du**	hättest gehoben
er	hat gehoben	**er**	hätte gehoben
wir	haben gehoben	**wir**	hätten gehoben
ihr	habt gehoben	**ihr**	hättet gehoben
sie	haben gehoben	**sie**	hätten gehoben

IMPERATIVE: heb(e)! heben **wir**! hebt! heben **Sie**!

73 **heißen** [strong, *haben*]

to be called

PRESENT PARTICIPLE	*PAST PARTICIPLE*
heißend	**geheißen**

PRESENT INDICATIVE		*PRESENT SUBJUNCTIVE*	
ich	heiße	**ich**	heiße
du	heißt	**du**	heißest
er	heißt	**er**	heiße
wir	heißen	**wir**	heißen
ihr	heißt	**ihr**	heißet
sie	heißen	**sie**	heißen

IMPERFECT INDICATIVE		*IMPERFECT SUBJUNCTIVE*	
ich	**hieß**	**ich**	**hieße**
du	**hießest**	**du**	**hießest**
er	**hieß**	**er**	**hieße**
wir	**hießen**	**wir**	**hießen**
ihr	**hießt**	**ihr**	**hießet**
sie	**hießen**	**sie**	**hießen**

FUTURE INDICATIVE		*CONDITIONAL*	
ich	werde heißen	**ich**	würde heißen
du	wirst heißen	**du**	würdest heißen
er	wird heißen	**er**	würde heißen
wir	werden heißen	**wir**	würden heißen
ihr	werdet heißen	**ihr**	würdet heißen
sie	werden heißen	**sie**	würden heißen

PERFECT INDICATIVE		*PLUPERFECT SUBJUNCTIVE*	
ich	habe **geheißen**	**ich**	hätte **geheißen**
du	hast **geheißen**	**du**	hättest **geheißen**
er	hat **geheißen**	**er**	hätte **geheißen**
wir	haben **geheißen**	**wir**	hätten **geheißen**
ihr	habt **geheißen**	**ihr**	hättet **geheißen**
sie	haben **geheißen**	**sie**	hätten **geheißen**

IMPERATIVE: heiß(e)! heiß**en wir**! heißt! heiß**en Sie**!

to heat

PRESENT PARTICIPLE	*PAST PARTICIPLE*
heizend	geheizt

PRESENT INDICATIVE		*PRESENT SUBJUNCTIVE*	
ich	heize	ich	heize
du	heizt	du	heizest
er	heizt	er	heize
wir	heizen	wir	heizen
ihr	heizt	ihr	heizet
sie	heizen	sie	heizen
IMPERFECT INDICATIVE		*IMPERFECT SUBJUNCTIVE*	
ich	heizte	ich	heizte
du	heiztest	du	heiztest
er	heizte	er	heizte
wir	heizten	wir	heizten
ihr	heiztet	ihr	heiztet
sie	heizten	sie	heizten
FUTURE INDICATIVE		*CONDITIONAL*	
ich	werde heizen	ich	würde heizen
du	wirst heizen	du	würdest heizen
er	wird heizen	er	würde heizen
wir	werden heizen	wir	würden heizen
ihr	werdet heizen	ihr	würdet heizen
sie	werden heizen	sie	würden heizen
PERFECT INDICATIVE		*PLUPERFECT SUBJUNCTIVE*	
ich	habe geheizt	ich	hätte geheizt
du	hast geheizt	du	hättest geheizt
er	hat geheizt	er	hätte geheizt
wir	haben geheizt	wir	hätten geheizt
ihr	habt geheizt	ihr	hättet geheizt
sie	haben geheizt	sie	hätten geheizt

IMPERATIVE: heiz(e)! heizen wir! heizt! heizen Sie!

75 **helfen** [strong, + dative, *haben*]

to help

PRESENT PARTICIPLE	*PAST PARTICIPLE*
helfend	geholfen

PRESENT INDICATIVE		*PRESENT SUBJUNCTIVE*	
ich	helfe	ich	helfe
du	hilfst	du	helfest
er	hilft	er	helfe
wir	helfen	wir	helfen
ihr	helft	ihr	helfet
sie	helfen	sie	helfen
IMPERFECT INDICATIVE		*IMPERFECT SUBJUNCTIVE*	
ich	half	ich	hülfe
du	halfst	du	hülfest
er	half	er	hülfe
wir	halfen	wir	hülfen
ihr	halft	ihr	hülfet
sie	halfen	sie	hülfen
FUTURE INDICATIVE		*CONDITIONAL*	
ich	werde helfen	ich	würde helfen
du	wirst helfen	du	würdest helfen
er	wird helfen	er	würde helfen
wir	werden helfen	wir	würden helfen
ihr	werdet helfen	ihr	würdet helfen
sie	werden helfen	sie	würden helfen
PERFECT INDICATIVE		*PLUPERFECT SUBJUNCTIVE*	
ich	habe geholfen	ich	hätte geholfen
du	hast geholfen	du	hättest geholfen
er	hat geholfen	er	hätte geholfen
wir	haben geholfen	wir	hätten geholfen
ihr	habt geholfen	ihr	hättet geholfen
sie	haben geholfen	sie	hätten geholfen

IMPERATIVE: hilf! helfen wir! helft! helfen Sie!

to fetch

PRESENT PARTICIPLE	*PAST PARTICIPLE*
holend	geholt

PRESENT INDICATIVE		*PRESENT SUBJUNCTIVE*	
ich	hole	ich	hole
du	holst	du	holest
er	holt	er	hole
wir	holen	wir	holen
ihr	holt	ihr	holet
sie	holen	sie	holen
IMPERFECT INDICATIVE		*IMPERFECT SUBJUNCTIVE*	
ich	holte	ich	holte
du	holtest	du	holtest
er	holte	er	holte
wir	holten	wir	holten
ihr	holtet	ihr	holtet
sie	holten	sie	holten
FUTURE INDICATIVE		*CONDITIONAL*	
ich	werde holen	ich	würde holen
du	wirst holen	du	würdest holen
er	wird holen	er	würde holen
wir	werden holen	wir	würden holen
ihr	werdet holen	ihr	würdet holen
sie	werden holen	sie	würden holen
PERFECT INDICATIVE		*PLUPERFECT SUBJUNCTIVE*	
ich	habe geholt	ich	hätte geholt
du	hast geholt	du	hättest geholt
er	hat geholt	er	hätte geholt
wir	haben geholt	wir	hätten geholt
ihr	habt geholt	ihr	hättet geholt
sie	haben geholt	sie	hätten geholt

IMPERATIVE: hol(e)! holen **wir**! holt! holen **Sie**!

77 **kennen** [mixed, *haben*]

to know (*be acquainted with*)

PRESENT PARTICIPLE	*PAST PARTICIPLE*
kennend	gekannt

PRESENT INDICATIVE		*PRESENT SUBJUNCTIVE*	
ich	kenne	**ich**	kenne
du	kennst	**du**	kennest
er	kennt	**er**	kenne
wir	kennen	**wir**	kennen
ihr	kennt	**ihr**	kennet
sie	kennen	**sie**	kennen
IMPERFECT INDICATIVE		*IMPERFECT SUBJUNCTIVE*	
ich	kannte	**ich**	kennte
du	kanntest	**du**	kenntest
er	kannte	**er**	kennte
wir	kannten	**wir**	kennten
ihr	kanntet	**ihr**	kenntet
sie	kannten	**sie**	kennten
FUTURE INDICATIVE		*CONDITIONAL*	
ich	werde kennen	**ich**	würde kennen
du	wirst kennen	**du**	würdest kennen
er	wird kennen	**er**	würde kennen
wir	werden kennen	**wir**	würden kennen
ihr	werdet kennen	**ihr**	würdet kennen
sie	werden kennen	**sie**	würden kennen
PERFECT INDICATIVE		*PLUPERFECT SUBJUNCTIVE*	
ich	habe gekannt	**ich**	hätte gekannt
du	hast gekannt	**du**	hättest gekannt
er	hat gekannt	**er**	hätte gekannt
wir	haben gekannt	**wir**	hätten gekannt
ihr	habt gekannt	**ihr**	hättet gekannt
sie	haben gekannt	**sie**	hätten gekannt

IMPERATIVE: kenn(e)! kennen **wir**! kennt! kennen **Sie**!

to climb

PRESENT PARTICIPLE	*PAST PARTICIPLE*
klimmend	geklommen

PRESENT INDICATIVE	*PRESENT SUBJUNCTIVE*
ich klimme	ich klimme
du klimmst	du klimmest
er klimmt	er klimme
wir klimmen	wir klimmen
ihr klimmt	ihr klimmet
sie klimmen	sie klimmen
IMPERFECT INDICATIVE	*IMPERFECT SUBJUNCTIVE*
ich klomm	ich klömme
du klommst	du klömmest
er klomm	er klömme
wir klommen	wir klömmen
ihr klommt	ihr klömmet
sie klommen	sie klömmen
FUTURE INDICATIVE	*CONDITIONAL*
ich werde klimmen	ich würde klimmen
du wirst klimmen	du würdest klimmen
er wird klimmen	er würde klimmen
wir werden klimmen	wir würden klimmen
ihr werdet klimmen	ihr würdet klimmen
sie werden klimmen	sie würden klimmen
PERFECT INDICATIVE	*PLUPERFECT SUBJUNCTIVE*
ich bin geklommen	ich wäre geklommen
du bist geklommen	du wär(e)st geklommen
er ist geklommen	er wäre geklommen
wir sind geklommen	wir wären geklommen
ihr seid geklommen	ihr wär(e)t geklommen
sie sind geklommen	sie wären geklommen

IMPERATIVE: klimm(e)! klimmen wir! klimmt! klimmen Sie!

*Can also be conjugated as a weak verb, see pp 5 ff.

79 **klingen** [strong, *haben*]
to sound

PRESENT PARTICIPLE	*PAST PARTICIPLE*
klingend	**geklungen**

PRESENT INDICATIVE		*PRESENT SUBJUNCTIVE*	
ich	klinge	**ich**	klinge
du	klingst	**du**	klingest
er	klingt	**er**	klinge
wir	klingen	**wir**	klingen
ihr	klingt	**ihr**	klinget
sie	klingen	**sie**	klingen
IMPERFECT INDICATIVE		*IMPERFECT SUBJUNCTIVE*	
ich	**klang**	**ich**	**klänge**
du	**klangst**	**du**	**klängest**
er	**klang**	**er**	**klänge**
wir	**klangen**	**wir**	**klängen**
ihr	**klangt**	**ihr**	**klänget**
sie	**klangen**	**sie**	**klängen**
FUTURE INDICATIVE		*CONDITIONAL*	
ich	werde klingen	**ich**	würde klingen
du	wirst klingen	**du**	würdest klingen
er	wird klingen	**er**	würde klingen
wir	werden klingen	**wir**	würden klingen
ihr	werdet klingen	**ihr**	würdet klingen
sie	werden klingen	**sie**	würden klingen
PERFECT INDICATIVE		*PLUPERFECT SUBJUNCTIVE*	
ich	habe **geklungen**	**ich**	hätte **geklungen**
du	hast **geklungen**	**du**	hättest **geklungen**
er	hat **geklungen**	**er**	hätte **geklungen**
wir	haben **geklungen**	**wir**	hätten **geklungen**
ihr	habt **geklungen**	**ihr**	hättet **geklungen**
sie	haben **geklungen**	**sie**	hätten **geklungen**

IMPERATIVE: kling(e)! klingen **wir**! klingt! klingen **Sie**!

to pinch

PRESENT PARTICIPLE	*PAST PARTICIPLE*
kneifend	gekniffen

PRESENT INDICATIVE		*PRESENT SUBJUNCTIVE*	
ich	kneife	ich	kneife
du	kneifst	du	kneifest
er	kneift	er	kneife
wir	kneifen	wir	kneifen
ihr	kneift	ihr	kneifet
sie	kneifen	sie	kneifen
IMPERFECT INDICATIVE		*IMPERFECT SUBJUNCTIVE*	
ich	kniff	ich	kniffe
du	kniffst	du	kniffest
er	kniff	er	kniffe
wir	kniffen	wir	kniffen
ihr	knifft	ihr	kniffet
sie	kniffen	sie	kniffen
FUTURE INDICATIVE		*CONDITIONAL*	
ich	werde kneifen	ich	würde kneifen
du	wirst kneifen	du	würdest kneifen
er	wird kneifen	er	würde kneifen
wir	werden kneifen	wir	würden kneifen
ihr	werdet kneifen	ihr	würdet kneifen
sie	werden kneifen	sie	würden kneifen
PERFECT INDICATIVE		*PLUPERFECT SUBJUNCTIVE*	
ich	habe gekniffen	ich	hätte gekniffen
du	hast gekniffen	du	hättest gekniffen
er	hat gekniffen	er	hätte gekniffen
wir	haben gekniffen	wir	hätten gekniffen
ihr	habt gekniffen	ihr	hättet gekniffen
sie	haben gekniffen	sie	hätten gekniffen

IMPERATIVE: kneif(e)! kneifen wir! kneift! kneifen Sie!

81 **kommen** [strong, *sein*]
to come

PRESENT PARTICIPLE	*PAST PARTICIPLE*
kommend	**gekommen**

PRESENT INDICATIVE		*PRESENT SUBJUNCTIVE*	
ich	komme	**ich**	komme
du	kommst	**du**	kommest
er	kommt	**er**	komme
wir	kommen	**wir**	kommen
ihr	kommt	**ihr**	kommet
sie	kommen	**sie**	kommen
IMPERFECT INDICATIVE		*IMPERFECT SUBJUNCTIVE*	
ich	**kam**	**ich**	**käme**
du	**kamst**	**du**	**kämest**
er	**kam**	**er**	**käme**
wir	**kamen**	**wir**	**kämen**
ihr	**kamt**	**ihr**	**kämet**
sie	**kamen**	**sie**	**kämen**
FUTURE INDICATIVE		*CONDITIONAL*	
ich	werde kommen	**ich**	würde kommen
du	wirst kommen	**du**	würdest kommen
er	wird kommen	**er**	würde kommen
wir	werden kommen	**wir**	würden kommen
ihr	werdet kommen	**ihr**	würdet kommen
sie	werden kommen	**sie**	würden kommen
PERFECT INDICATIVE		*PLUPERFECT SUBJUNCTIVE*	
ich	bin **gekommen**	**ich**	wäre **gekommen**
du	bist **gekommen**	**du**	wär(e)st **gekommen**
er	ist **gekommen**	**er**	wäre **gekommen**
wir	sind **gekommen**	**wir**	wären **gekommen**
ihr	seid **gekommen**	**ihr**	wär(e)t **gekommen**
sie	sind **gekommen**	**sie**	wären **gekommen**

IMPERATIVE: komm(**e**)! komm**en wir**! kommt! komm**en Sie**!

to be able to

PRESENT PARTICIPLE	*PAST PARTICIPLE*
können d	**gekonnt/können***

PRESENT INDICATIVE		*PRESENT SUBJUNCTIVE*	
ich	**kann**	**ich**	könne
du	**kannst**	**du**	könnest
er	**kann**	**er**	könne
wir	können	**wir**	können
ihr	könnt	**ihr**	könnet
sie	können	**sie**	können
IMPERFECT INDICATIVE		*IMPERFECT SUBJUNCTIVE*	
ich	**konnte**	**ich**	könnte
du	**konntest**	**du**	könntest
er	**konnte**	**er**	könnte
wir	**konnten**	**wir**	könnten
ihr	**konntet**	**ihr**	könntet
sie	**konnten**	**sie**	könnten
FUTURE INDICATIVE		*CONDITIONAL*	
ich	werde können	**ich**	würde können
du	wirst können	**du**	würdest können
er	wird können	**er**	würde können
wir	werden können	**wir**	würden können
ihr	werdet können	**ihr**	würdet können
sie	werden können	**sie**	würden können
PERFECT INDICATIVE		*PLUPERFECT SUBJUNCTIVE*	
ich	habe **gekonnt/können**	**ich**	hätte **gekonnt/können**
du	hast **gekonnt/können**	**du**	hättest **gekonnt/können**
er	hat **gekonnt/können**	**er**	hätte **gekonnt/können**
wir	haben **gekonnt/können**	**wir**	hätten **gekonnt/können**
ihr	habt **gekonnt/können**	**ihr**	hättet **gekonnt/können**
sie	haben **gekonnt/können**	**sie**	hätten **gekonnt/können**

**The second form is used when combined with an infinitive construction.*

83 kriechen [strong, *sein*]

to crawl

PRESENT PARTICIPLE	*PAST PARTICIPLE*
kriechend	**gekrochen**

PRESENT INDICATIVE		*PRESENT SUBJUNCTIVE*	
ich	krieche	ich	krieche
du	kriechst	du	kriechest
er	kriecht	er	krieche
wir	kriechen	wir	kriechen
ihr	kriecht	ihr	kriechet
sie	kriechen	sie	kriechen

IMPERFECT INDICATIVE		*IMPERFECT SUBJUNCTIVE*	
ich	**kroch**	ich	**kröche**
du	**krochst**	du	**kröchest**
er	**kroch**	er	**kröche**
wir	**krochen**	wir	**kröchen**
ihr	**krocht**	ihr	**kröchet**
sie	**krochen**	sie	**kröchen**

FUTURE INDICATIVE		*CONDITIONAL*	
ich	werde kriechen	ich	würde kriechen
du	wirst kriechen	du	würdest kriechen
er	wird kriechen	er	würde kriechen
wir	werden kriechen	wir	würden kriechen
ihr	werdet kriechen	ihr	würdet kriechen
sie	werden kriechen	sie	würden kriechen

PERFECT INDICATIVE		*PLUPERFECT SUBJUNCTIVE*	
ich	bin **gekrochen**	ich	wäre **gekrochen**
du	bist **gekrochen**	du	wär(e)st **gekrochen**
er	ist **gekrochen**	er	wäre **gekrochen**
wir	sind **gekrochen**	wir	wären **gekrochen**
ihr	seid **gekrochen**	ihr	wär(e)t **gekrochen**
sie	sind **gekrochen**	sie	wären **gekrochen**

IMPERATIVE: kriech(e)! kriechen **wir**! kriecht! kriechen **Sie**!

to load; to invite

PRESENT PARTICIPLE	PAST PARTICIPLE
ladend	**geladen**

PRESENT INDICATIVE		PRESENT SUBJUNCTIVE	
ich	lade	**ich**	lade
du	**lädst**	**du**	ladest
er	**lädt**	**er**	lade
wir	laden	**wir**	laden
ihr	ladet	**ihr**	ladet
sie	laden	**sie**	laden

IMPERFECT INDICATIVE		IMPERFECT SUBJUNCTIVE	
ich	**lud**	**ich**	**lüde**
du	**lud(e)st**	**du**	**lüdest**
er	**lud**	**er**	**lüde**
wir	**luden**	**wir**	**lüden**
ihr	**ludet**	**ihr**	**lüdet**
sie	**luden**	**sie**	**lüden**

FUTURE INDICATIVE		CONDITIONAL	
ich	werde laden	**ich**	würde laden
du	wirst laden	**du**	würdest laden
er	wird laden	**er**	würde laden
wir	werden laden	**wir**	würden laden
ihr	werdet laden	**ihr**	würdet laden
sie	werden laden	**sie**	würden laden

PERFECT INDICATIVE		PLUPERFECT SUBJUNCTIVE	
ich	habe **geladen**	**ich**	hätte **geladen**
du	hast **geladen**	**du**	hättest **geladen**
er	hat **geladen**	**er**	hätte **geladen**
wir	haben **geladen**	**wir**	hätten **geladen**
ihr	habt **geladen**	**ihr**	hättet **geladen**
sie	haben **geladen**	**sie**	hätten **geladen**

IMPERATIVE: lad(e)! laden **wir**! ladet! laden **Sie**!

85 **lassen** [strong, *haben*]

to leave; to allow

PRESENT PARTICIPLE	*PAST PARTICIPLE*
lassend	gelassen

PRESENT INDICATIVE		*PRESENT SUBJUNCTIVE*	
ich	lasse	ich	lasse
du	läßt	du	lassest
er	läßt	er	lasse
wir	lassen	wir	lassen
ihr	laßt	ihr	lasset
sie	lassen	sie	lassen
IMPERFECT INDICATIVE		*IMPERFECT SUBJUNCTIVE*	
ich	ließ	ich	ließe
du	ließest	du	ließest
er	ließ	er	ließe
wir	ließen	wir	ließen
ihr	ließt	ihr	ließet
sie	ließen	sie	ließen
FUTURE INDICATIVE		*CONDITIONAL*	
ich	werde lassen	ich	würde lassen
du	wirst lassen	du	würdest lassen
er	wird lassen	er	würde lassen
wir	werden lassen	wir	würden lassen
ihr	werdet lassen	ihr	würdet lassen
sie	werden lassen	sie	würden lassen
PERFECT INDICATIVE		*PLUPERFECT SUBJUNCTIVE*	
ich	habe gelassen	ich	hätte gelassen
du	hast gelassen	du	hättest gelassen
er	hat gelassen	er	hätte gelassen
wir	haben gelassen	wir	hätten gelassen
ihr	habt gelassen	ihr	hättet gelassen
sie	haben gelassen	sie	hätten gelassen

IMPERATIVE: laß! lassen wir! laßt! lassen Sie!

to run

PRESENT PARTICIPLE	*PAST PARTICIPLE*
laufend	**gelaufen**

PRESENT INDICATIVE		*PRESENT SUBJUNCTIVE*	
ich	laufe	**ich**	laufe
du	läufst	**du**	laufest
er	läuft	**er**	laufe
wir	laufen	**wir**	laufen
ihr	lauft	**ihr**	laufet
sie	laufen	**sie**	laufen
IMPERFECT INDICATIVE		*IMPERFECT SUBJUNCTIVE*	
ich	**lief**	**ich**	**liefe**
du	**liefst**	**du**	**liefest**
er	**lief**	**er**	**liefe**
wir	**liefen**	**wir**	**liefen**
ihr	**lieft**	**ihr**	**liefet**
sie	**liefen**	**sie**	**liefen**
FUTURE INDICATIVE		*CONDITIONAL*	
ich	werde laufen	**ich**	würde laufen
du	wirst laufen	**du**	würdest laufen
er	wird laufen	**er**	würde laufen
wir	werden laufen	**wir**	würden laufen
ihr	werdet laufen	**ihr**	würdet laufen
sie	werden laufen	**sie**	würden laufen
PERFECT INDICATIVE		*PLUPERFECT SUBJUNCTIVE*	
ich	bin **gelaufen**	**ich**	wäre **gelaufen**
du	bist **gelaufen**	**du**	wär(e)st **gelaufen**
er	ist **gelaufen**	**er**	wäre **gelaufen**
wir	sind **gelaufen**	**wir**	wären **gelaufen**
ihr	seid **gelaufen**	**ihr**	wär(e)t **gelaufen**
sie	sind **gelaufen**	**sie**	wären **gelaufen**

IMPERATIVE: lauf(e)! laufen **wir**! lauft! laufen **Sie**!

87 **leiden** [strong, *haben*]
to suffer

PRESENT PARTICIPLE	*PAST PARTICIPLE*
leidend	**gelitten**

PRESENT INDICATIVE		*PRESENT SUBJUNCTIVE*	
ich	leide	**ich**	leide
du	leidest	**du**	leidest
er	leidet	**er**	leide
wir	leiden	**wir**	leiden
ihr	leidet	**ihr**	leidet
sie	leiden	**sie**	leiden
IMPERFECT INDICATIVE		*IMPERFECT SUBJUNCTIVE*	
ich	**litt**	**ich**	**litte**
du	**litt(e)st**	**du**	**littest**
er	**litt**	**er**	**litte**
wir	**litten**	**wir**	**litten**
ihr	**littet**	**ihr**	**littet**
sie	**litten**	**sie**	**litten**
FUTURE INDICATIVE		*CONDITIONAL*	
ich	werde leiden	**ich**	würde leiden
du	wirst leiden	**du**	würdest leiden
er	wird leiden	**er**	würde leiden
wir	werden leiden	**wir**	würden leiden
ihr	werdet leiden	**ihr**	würdet leiden
sie	werden leiden	**sie**	würden leiden
PERFECT INDICATIVE		*PLUPERFECT SUBJUNCTIVE*	
ich	habe **gelitten**	**ich**	hätte **gelitten**
du	hast **gelitten**	**du**	hättest **gelitten**
er	hat **gelitten**	**er**	hätte **gelitten**
wir	haben **gelitten**	**wir**	hätten **gelitten**
ihr	habt **gelitten**	**ihr**	hättet **gelitten**
sie	haben **gelitten**	**sie**	hätten **gelitten**

IMPERATIVE: leid(e)! leiden **wir**! leidet! leiden **Sie**!

to lend

PRESENT PARTICIPLE	*PAST PARTICIPLE*
leihend	**geliehen**

PRESENT INDICATIVE		*PRESENT SUBJUNCTIVE*	
ich	leihe	**ich**	leihe
du	leihst	**du**	leihest
er	leiht	**er**	leihe
wir	leihen	**wir**	leihen
ihr	leiht	**ihr**	leihet
sie	leihen	**sie**	leihen
IMPERFECT INDICATIVE		*IMPERFECT SUBJUNCTIVE*	
ich	**lieh**	**ich**	**liehe**
du	**liehst**	**du**	**liehest**
er	**lieh**	**er**	**liehe**
wir	**liehen**	**wir**	**liehen**
ihr	**lieht**	**ihr**	**liehet**
sie	**liehen**	**sie**	**liehen**
FUTURE INDICATIVE		*CONDITIONAL*	
ich	werde leihen	**ich**	würde leihen
du	wirst leihen	**du**	würdest leihen
er	wird leihen	**er**	würde leihen
wir	werden leihen	**wir**	würden leihen
ihr	werdet leihen	**ihr**	würdet leihen
sie	werden leihen	**sie**	würden leihen
PERFECT INDICATIVE		*PLUPERFECT SUBJUNCTIVE*	
ich	habe **geliehen**	**ich**	hätte **geliehen**
du	hast **geliehen**	**du**	hättest **geliehen**
er	hat **geliehen**	**er**	hätte **geliehen**
wir	haben **geliehen**	**wir**	hätten **geliehen**
ihr	habt **geliehen**	**ihr**	hättet **geliehen**
sie	haben **geliehen**	**sie**	hätten **geliehen**

IMPERATIVE: leih(e)! leihen **wir**! leiht! leihen **Sie**!

89 **lesen** [strong, *haben*]

to read

PRESENT PARTICIPLE	*PAST PARTICIPLE*
lesen**d**	**gelesen**

PRESENT INDICATIVE		*PRESENT SUBJUNCTIVE*	
ich	lese	**ich**	lese
du	**liest**	**du**	lesest
er	**liest**	**er**	lese
wir	lesen	**wir**	lesen
ihr	lest	**ihr**	leset
sie	lesen	**sie**	lesen
IMPERFECT INDICATIVE		*IMPERFECT SUBJUNCTIVE*	
ich	**las**	**ich**	**läse**
du	**lasest**	**du**	**läsest**
er	**las**	**er**	**läse**
wir	**lasen**	**wir**	**läsen**
ihr	**last**	**ihr**	**läset**
sie	**lasen**	**sie**	**läsen**
FUTURE INDICATIVE		*CONDITIONAL*	
ich	werde lesen	**ich**	würde lesen
du	wirst lesen	**du**	würdest lesen
er	wird lesen	**er**	würde lesen
wir	werden lesen	**wir**	würden lesen
ihr	werdet lesen	**ihr**	würdet lesen
sie	werden lesen	**sie**	würden lesen
PERFECT INDICATIVE		*PLUPERFECT SUBJUNCTIVE*	
ich	habe **gelesen**	**ich**	hätte **gelesen**
du	hast **gelesen**	**du**	hättest **gelesen**
er	hat **gelesen**	**er**	hätte **gelesen**
wir	haben **gelesen**	**wir**	hätten **gelesen**
ihr	habt **gelesen**	**ihr**	hättet **gelesen**
sie	haben **gelesen**	**sie**	hätten **gelesen**

IMPERATIVE: **lies**! lesen **wir**! lest! lesen **Sie**!

to lie

PRESENT PARTICIPLE	*PAST PARTICIPLE*
liegend	gelegen

PRESENT INDICATIVE

ich	liege
du	liegst
er	liegt
wir	liegen
ihr	liegt
sie	liegen

PRESENT SUBJUNCTIVE

ich	liege
du	liegest
er	liege
wir	liegen
ihr	lieget
sie	liegen

IMPERFECT INDICATIVE

ich	lag
du	lagst
er	lag
wir	lagen
ihr	lagt
sie	lagen

IMPERFECT SUBJUNCTIVE

ich	läge
du	lägest
er	läge
wir	lägen
ihr	läget
sie	lägen

FUTURE INDICATIVE

ich	werde liegen
du	wirst liegen
er	wird liegen
wir	werden liegen
ihr	werdet liegen
sie	werden liegen

CONDITIONAL

ich	würde liegen
du	würdest liegen
er	würde liegen
wir	würden liegen
ihr	würdet liegen
sie	würden liegen

PERFECT INDICATIVE

ich	habe gelegen
du	hast gelegen
er	hat gelegen
wir	haben gelegen
ihr	habt gelegen
sie	haben gelegen

PLUPERFECT SUBJUNCTIVE

ich	hätte gelegen
du	hättest gelegen
er	hätte gelegen
wir	hätten gelegen
ihr	hättet gelegen
sie	hätten gelegen

IMPERATIVE: lieg(e)! liegen wir! liegt! liegen Sie!

91 **lügen** [strong, *haben*]

to (tell a) lie

PRESENT PARTICIPLE	*PAST PARTICIPLE*
lügend	**gelogen**

PRESENT INDICATIVE		*PRESENT SUBJUNCTIVE*	
ich	lüge	**ich**	lüge
du	lügst	**du**	lügest
er	lügt	**er**	lüge
wir	lügen	**wir**	lügen
ihr	lügt	**ihr**	lüget
sie	lügen	**sie**	lügen
IMPERFECT INDICATIVE		*IMPERFECT SUBJUNCTIVE*	
ich	**log**	**ich**	**löge**
du	**logst**	**du**	**lögest**
er	**log**	**er**	**löge**
wir	**logen**	**wir**	**lögen**
ihr	**logt**	**ihr**	**löget**
sie	**logen**	**sie**	**lögen**
FUTURE INDICATIVE		*CONDITIONAL*	
ich	werde lügen	**ich**	würde lügen
du	wirst lügen	**du**	würdest lügen
er	wird lügen	**er**	würde lügen
wir	werden lügen	**wir**	würden lügen
ihr	werdet lügen	**ihr**	würdet lügen
sie	werden lügen	**sie**	würden lügen
PERFECT INDICATIVE		*PLUPERFECT SUBJUNCTIVE*	
ich	habe **gelogen**	**ich**	hätte **gelogen**
du	hast **gelogen**	**du**	hättest **gelogen**
er	hat **gelogen**	**er**	hätte **gelogen**
wir	haben **gelogen**	**wir**	hätten **gelogen**
ihr	habt **gelogen**	**ihr**	hättet **gelogen**
sie	haben **gelogen**	**sie**	hätten **gelogen**

IMPERATIVE: lüg(e)! lügen **wir**! lügt! lügen **Sie**!

to grind

PRESENT PARTICIPLE	*PAST PARTICIPLE*
mahlen**d**	**gemahlen**

PRESENT INDICATIVE		*PRESENT SUBJUNCTIVE*	
ich	mahl**e**	**ich**	mahl**e**
du	mahl**st**	**du**	mahl**est**
er	mahl**t**	**er**	mahl**e**
wir	mahl**en**	**wir**	mahl**en**
ihr	mahl**t**	**ihr**	mahl**et**
sie	mahl**en**	**sie**	mahl**en**
IMPERFECT INDICATIVE		*IMPERFECT SUBJUNCTIVE*	
ich	mahl**te**	**ich**	mahl**te**
du	mahl**test**	**du**	mahl**test**
er	mahl**te**	**er**	mahl**te**
wir	mahl**ten**	**wir**	mahl**ten**
ihr	mahl**tet**	**ihr**	mahl**tet**
sie	mahl**ten**	**sie**	mahl**ten**
FUTURE INDICATIVE		*CONDITIONAL*	
ich	werde mahlen	**ich**	würde mahlen
du	wirst mahlen	**du**	würdest mahlen
er	wird mahlen	**er**	würde mahlen
wir	werden mahlen	**wir**	würden mahlen
ihr	werdet mahlen	**ihr**	würdet mahlen
sie	werden mahlen	**sie**	würden mahlen
PERFECT INDICATIVE		*PLUPERFECT SUBJUNCTIVE*	
ich	habe **gemahlen**	**ich**	hätte **gemahlen**
du	hast **gemahlen**	**du**	hättest **gemahlen**
er	hat **gemahlen**	**er**	hätte **gemahlen**
wir	haben **gemahlen**	**wir**	hätten **gemahlen**
ihr	habt **gemahlen**	**ihr**	hättet **gemahlen**
sie	haben **gemahlen**	**sie**	hätten **gemahlen**

IMPERATIVE: mahl(**e**)! mahl**en wir**! mahl**t**! mahl**en Sie**!
**NB No vowel change in the imperfect tense or past participle.*

93 **meiden** [strong, *haben*]

to avoid

PRESENT PARTICIPLE	*PAST PARTICIPLE*
meidend	**gemieden**

PRESENT INDICATIVE		*PRESENT SUBJUNCTIVE*	
ich	meide	**ich**	meide
du	meidest	**du**	meidest
er	meidet	**er**	meide
wir	meiden	**wir**	meiden
ihr	meidet	**ihr**	meidet
sie	meiden	**sie**	meiden
IMPERFECT INDICATIVE		*IMPERFECT SUBJUNCTIVE*	
ich	**mied**	**ich**	**miede**
du	**mied(e)st**	**du**	**miedest**
er	**mied**	**er**	**miede**
wir	**mieden**	**wir**	**mieden**
ihr	**miedet**	**ihr**	**miedet**
sie	**mieden**	**sie**	**mieden**
FUTURE INDICATIVE		*CONDITIONAL*	
ich	werde meiden	**ich**	würde meiden
du	wirst meiden	**du**	würdest meiden
er	wird meiden	**er**	würde meiden
wir	werden meiden	**wir**	würden meiden
ihr	werdet meiden	**ihr**	würdet meiden
sie	werden meiden	**sie**	würden meiden
PERFECT INDICATIVE		*PLUPERFECT SUBJUNCTIVE*	
ich	habe **gemieden**	**ich**	hätte **gemieden**
du	hast **gemieden**	**du**	hättest **gemieden**
er	hat **gemieden**	**er**	hätte **gemieden**
wir	haben **gemieden**	**wir**	hätten **gemieden**
ihr	habt **gemieden**	**ihr**	hättet **gemieden**
sie	haben **gemieden**	**sie**	hätten **gemieden**

IMPERATIVE: meid(e)! meiden **wir**! meidet! meiden **Sie**!

to measure

PRESENT PARTICIPLE	*PAST PARTICIPLE*
messend	gemessen

PRESENT INDICATIVE		*PRESENT SUBJUNCTIVE*	
ich	messe	ich	messe
du	mißt	du	messest
er	mißt	er	messe
wir	messen	wir	messen
ihr	meßt	ihr	messet
sie	messen	sie	messen
IMPERFECT INDICATIVE		*IMPERFECT SUBJUNCTIVE*	
ich	maß	ich	mäße
du	maßest	du	mäßest
er	maß	er	mäße
wir	maßen	wir	mäßen
ihr	maßt	ihr	mäßet
sie	maßen	sie	mäßen
FUTURE INDICATIVE		*CONDITIONAL*	
ich	werde messen	ich	würde messen
du	wirst messen	du	würdest messen
er	wird messen	er	würde messen
wir	werden messen	wir	würden messen
ihr	werdet messen	ihr	würdet messen
sie	werden messen	sie	würden messen
PERFECT INDICATIVE		*PLUPERFECT SUBJUNCTIVE*	
ich	habe gemessen	ich	hätte gemessen
du	hast gemessen	du	hättest gemessen
er	hat gemessen	er	hätte gemessen
wir	haben gemessen	wir	hätten gemessen
ihr	habt gemessen	ihr	hättet gemessen
sie	haben gemessen	sie	hätten gemessen

IMPERATIVE: **miß**! messen **wir**! **meßt**! messen **Sie**!

95 **mißtrauen** [weak, inseparable, *haben*]
to mistrust

PRESENT PARTICIPLE	*PAST PARTICIPLE*
mißtrauend	mißtraut

PRESENT INDICATIVE		*PRESENT SUBJUNCTIVE*	
ich	mißtraue	**ich**	mißtraue
du	mißtraust	**du**	mißtrauest
er	mißtraut	**er**	mißtraue
wir	mißtrauen	**wir**	mißtrauen
ihr	mißtraut	**ihr**	mißtrauet
sie	mißtrauen	**sie**	mißtrauen
IMPERFECT INDICATIVE		*IMPERFECT SUBJUNCTIVE*	
ich	mißtraute	**ich**	mißtraute
du	mißtrautest	**du**	mißtrautest
er	mißtraute	**er**	mißtraute
wir	mißtrauten	**wir**	mißtrauten
ihr	mißtrautet	**ihr**	mißtrautet
sie	mißtrauten	**sie**	mißtrauten
FUTURE INDICATIVE		*CONDITIONAL*	
ich	werde mißtrauen	**ich**	würde mißtrauen
du	wirst mißtrauen	**du**	würdest mißtrauen
er	wird mißtrauen	**er**	würde mißtrauen
wir	werden mißtrauen	**wir**	würden mißtrauen
ihr	werdet mißtrauen	**ihr**	würdet mißtrauen
sie	werden mißtrauen	**sie**	würden mißtrauen
PERFECT INDICATIVE		*PLUPERFECT SUBJUNCTIVE*	
ich	habe mißtraut	**ich**	hätte mißtraut
du	hast mißtraut	**du**	hättest mißtraut
er	hat mißtraut	**er**	hätte mißtraut
wir	haben mißtraut	**wir**	hätten mißtraut
ihr	habt mißtraut	**ihr**	hättet mißtraut
sie	haben mißtraut	**sie**	hätten mißtraut

IMPERATIVE: mißtrau(e)! mißtrauen **wir**! mißtraut! mißtrauen **Sie**!

to like

PRESENT PARTICIPLE	*PAST PARTICIPLE*
mögend	**gemocht/mögen***

PRESENT INDICATIVE		*PRESENT SUBJUNCTIVE*	
ich	mag	ich	möge
du	magst	du	mögest
er	mag	er	möge
wir	mögen	wir	mögen
ihr	mögt	ihr	möget
sie	mögen	sie	mögen
IMPERFECT INDICATIVE		*IMPERFECT SUBJUNCTIVE*	
ich	mochte	ich	möchte
du	mochtest	du	möchtest
er	mochte	er	möchte
wir	mochten	wir	möchten
ihr	mochtet	ihr	möchtet
sie	mochten	sie	möchten
FUTURE INDICATIVE		*CONDITIONAL*	
ich	werde mögen	ich	würde mögen
du	wirst mögen	du	würdest mögen
er	wird mögen	er	würde mögen
wir	werden mögen	wir	würden mögen
ihr	werdet mögen	ihr	würdet mögen
sie	werden mögen	sie	würden mögen
PERFECT INDICATIVE		*PLUPERFECT SUBJUNCTIVE*	
ich	habe **gemocht/mögen**	ich	hätte **gemocht/mögen**
du	hast **gemocht/mögen**	du	hättest **gemocht/mögen**
er	hat **gemocht/mögen**	er	hätte **gemocht/mögen**
wir	haben **gemocht/mögen**	wir	hätten **gemocht/mögen**
ihr	habt **gemocht/mögen**	ihr	hättet **gemocht/mögen**
sie	haben **gemocht/mögen**	sie	hätten **gemocht/mögen**

**The second form is used when combined with an infinitive construction.*

97 **müssen** [modal, *haben*]

to have to

PRESENT PARTICIPLE	*PAST PARTICIPLE*
müssend	**gemußt/müssen***

PRESENT INDICATIVE		*PRESENT SUBJUNCTIVE*	
ich	**muß**	**ich**	müsse
du	**mußt**	**du**	müssest
er	**muß**	**er**	müsse
wir	müssen	**wir**	müssen
ihr	müßt	**ihr**	müsset
sie	müssen	**sie**	müssen
IMPERFECT INDICATIVE		*IMPERFECT SUBJUNCTIVE*	
ich	**mußte**	**ich**	müßte
du	**mußtest**	**du**	müßtest
er	**mußte**	**er**	müßte
wir	**mußten**	**wir**	müßten
ihr	**mußtet**	**ihr**	müßtet
sie	**mußten**	**sie**	müßten
FUTURE INDICATIVE		*CONDITIONAL*	
ich	werde müssen	**ich**	würde müssen
du	wirst müssen	**du**	würdest müssen
er	wird müssen	**er**	würde müssen
wir	werden müssen	**wir**	würden müssen
ihr	werdet müssen	**ihr**	würdet müssen
sie	werden müssen	**sie**	würden müssen
PERFECT INDICATIVE		*PLUPERFECT SUBJUNCTIVE*	
ich	habe **gemußt/müssen**	**ich**	hätte **gemußt/müssen**
du	hast **gemußt/müssen**	**du**	hättest **gemußt/müssen**
er	hat **gemußt/müssen**	**er**	hätte **gemußt/müssen**
wir	haben **gemußt/müssen**	**wir**	hätten **gemußt/müssen**
ihr	habt **gemußt/müssen**	**ihr**	hättet **gemußt/müssen**
sie	haben **gemußt/müssen**	**sie**	hätten **gemußt/müssen**

**The second form is used when combined with an infinitive construction.*

[strong, *haben*] **nehmen** 98
to take

PRESENT PARTICIPLE	*PAST PARTICIPLE*
nehmend	**genommen**

PRESENT INDICATIVE		*PRESENT SUBJUNCTIVE*	
ich	nehme	**ich**	nehme
du	**nimmst**	**du**	nehmest
er	**nimmt**	**er**	nehme
wir	nehmen	**wir**	nehmen
ihr	nehmt	**ihr**	nehmet
sie	nehmen	**sie**	nehmen
IMPERFECT INDICATIVE		*IMPERFECT SUBJUNCTIVE*	
ich	**nahm**	**ich**	**nähme**
du	**nahmst**	**du**	**nähmest**
er	**nahm**	**er**	**nähme**
wir	**nahmen**	**wir**	**nähmen**
ihr	**nahmt**	**ihr**	**nähmet**
sie	**nahmen**	**sie**	**nähmen**
FUTURE INDICATIVE		*CONDITIONAL*	
ich	werde nehmen	**ich**	würde nehmen
du	wirst nehmen	**du**	würdest nehmen
er	wird nehmen	**er**	würde nehmen
wir	werden nehmen	**wir**	würden nehmen
ihr	werdet nehmen	**ihr**	würdet nehmen
sie	werden nehmen	**sie**	würden nehmen
PERFECT INDICATIVE		*PLUPERFECT SUBJUNCTIVE*	
ich	habe **genommen**	**ich**	hätte **genommen**
du	hast **genommen**	**du**	hättest **genommen**
er	hat **genommen**	**er**	hätte **genommen**
wir	haben **genommen**	**wir**	hätten **genommen**
ihr	habt **genommen**	**ihr**	hättet **genommen**
sie	haben **genommen**	**sie**	hätten **genommen**

IMPERATIVE: **nimm**! nehmen **wir**! nehmt! nehmen **Sie**!

99 **nennen** [mixed, *haben*]

to name

PRESENT PARTICIPLE	*PAST PARTICIPLE*
nennend	genannt

PRESENT INDICATIVE		*PRESENT SUBJUNCTIVE*	
ich	nenne	ich	nenne
du	nennst	du	nennest
er	nennt	er	nenne
wir	nennen	wir	nennen
ihr	nennt	ihr	nennet
sie	nennen	sie	nennen
IMPERFECT INDICATIVE		*IMPERFECT SUBJUNCTIVE*	
ich	nannte	ich	nennte
du	nanntest	du	nenntest
er	nannte	er	nennte
wir	nannten	wir	nennten
ihr	nanntet	ihr	nenntet
sie	nannten	sie	nennten
FUTURE INDICATIVE		*CONDITIONAL*	
ich	werde nennen	ich	würde nennen
du	wirst nennen	du	würdest nennen
er	wird nennen	er	würde nennen
wir	werden nennen	wir	würden nennen
ihr	werdet nennen	ihr	würdet nennen
sie	werden nennen	sie	würden nennen
PERFECT INDICATIVE		*PLUPERFECT SUBJUNCTIVE*	
ich	habe genannt	ich	hätte genannt
du	hast genannt	du	hättest genannt
er	hat genannt	er	hätte genannt
wir	haben genannt	wir	hätten genannt
ihr	habt genannt	ihr	hättet genannt
sie	haben genannt	sie	hätten genannt

IMPERATIVE: nenn(e)! nennen wir! nennt! nennen Sie!

pfeifen

to whistle

PRESENT PARTICIPLE	*PAST PARTICIPLE*
pfeifend	**gepfiffen**

PRESENT INDICATIVE		*PRESENT SUBJUNCTIVE*	
ich	pfeife	**ich**	pfeife
du	pfeifst	**du**	pfeifest
er	pfeift	**er**	pfeife
wir	pfeifen	**wir**	pfeifen
ihr	pfeift	**ihr**	pfeifet
sie	pfeifen	**sie**	pfeifen
IMPERFECT INDICATIVE		*IMPERFECT SUBJUNCTIVE*	
ich	**pfiff**	**ich**	**pfiffe**
du	**pfiffst**	**du**	**pfiffest**
er	**pfiff**	**er**	**pfiffe**
wir	**pfiffen**	**wir**	**pfiffen**
ihr	**pfifft**	**ihr**	**pfiffet**
sie	**pfiffen**	**sie**	**pfiffen**
FUTURE INDICATIVE		*CONDITIONAL*	
ich	werde pfeifen	**ich**	würde pfeifen
du	wirst pfeifen	**du**	würdest pfeifen
er	wird pfeifen	**er**	würde pfeifen
wir	werden pfeifen	**wir**	würden pfeifen
ihr	werdet pfeifen	**ihr**	würdet pfeifen
sie	werden pfeifen	**sie**	würden pfeifen
PERFECT INDICATIVE		*PLUPERFECT SUBJUNCTIVE*	
ich	habe **gepfiffen**	**ich**	hätte **gepfiffen**
du	hast **gepfiffen**	**du**	hättest **gepfiffen**
er	hat **gepfiffen**	**er**	hätte **gepfiffen**
wir	haben **gepfiffen**	**wir**	hätten **gepfiffen**
ihr	habt **gepfiffen**	**ihr**	hättet **gepfiffen**
sie	haben **gepfiffen**	**sie**	hätten **gepfiffen**

IMPERATIVE: pfeif(**e**)! pfeifen **wir**! pfeift! pfeifen **Sie**!

101 **preisen** [strong, *haben*]

to praise

PRESENT PARTICIPLE	*PAST PARTICIPLE*
preisend	gepriesen

PRESENT INDICATIVE		*PRESENT SUBJUNCTIVE*	
ich	preise	ich	preise
du	preist	du	preisest
er	preist	er	preise
wir	preisen	wir	preisen
ihr	preist	ihr	preiset
sie	preisen	sie	preisen
IMPERFECT INDICATIVE		*IMPERFECT SUBJUNCTIVE*	
ich	pries	ich	priese
du	priesest	du	priesest
er	pries	er	priese
wir	priesen	wir	priesen
ihr	priest	ihr	prieset
sie	priesen	sie	priesen
FUTURE INDICATIVE		*CONDITIONAL*	
ich	werde preisen	ich	würde preisen
du	wirst preisen	du	würdest preisen
er	wird preisen	er	würde preisen
wir	werden preisen	wir	würden preisen
ihr	werdet preisen	ihr	würdet preisen
sie	werden preisen	sie	würden preisen
PERFECT INDICATIVE		*PLUPERFECT SUBJUNCTIVE*	
ich	habe gepriesen	ich	hätte gepriesen
du	hast gepriesen	du	hättest gepriesen
er	hat gepriesen	er	hätte gepriesen
wir	haben gepriesen	wir	hätten gepriesen
ihr	habt gepriesen	ihr	hättet gepriesen
sie	haben gepriesen	sie	hätten gepriesen

IMPERATIVE: preis(e)! preisen **wir**! preist! preisen **Sie**!

to gush

PRESENT PARTICIPLE	*PAST PARTICIPLE*
quellend	**gequollen**

PRESENT INDICATIVE		*PRESENT SUBJUNCTIVE*	
ich	quelle	**ich**	quelle
du	**quillst**	**du**	quellest
er	**quillt**	**er**	quelle
wir	quellen	**wir**	quellen
ihr	quellt	**ihr**	quellet
sie	quellen	**sie**	quellen
IMPERFECT INDICATIVE		*IMPERFECT SUBJUNCTIVE*	
ich	**quoll**	**ich**	**quölle**
du	**quollst**	**du**	**quöllest**
er	**quoll**	**er**	**quölle**
wir	**quollen**	**wir**	**quöllen**
ihr	**quollt**	**ihr**	**quöllet**
sie	**quollen**	**sie**	**quöllen**
FUTURE INDICATIVE		*CONDITIONAL*	
ich	werde quellen	**ich**	würde quellen
du	wirst quellen	**du**	würdest quellen
er	wird quellen	**er**	würde quellen
wir	werden quellen	**wir**	würden quellen
ihr	werdet quellen	**ihr**	würdet quellen
sie	werden quellen	**sie**	würden quellen
PERFECT INDICATIVE		*PLUPERFECT SUBJUNCTIVE*	
ich	bin **gequollen**	**ich**	wäre **gequollen**
du	bist **gequollen**	**du**	wär(e)st **gequollen**
er	ist **gequollen**	**er**	wäre **gequollen**
wir	sind **gequollen**	**wir**	wären **gequollen**
ihr	seid **gequollen**	**ihr**	wär(e)t **gequollen**
sie	sind **gequollen**	**sie**	wären **gequollen**

IMPERATIVE: **quill**! quellen **wir**! quellt! quellen **Sie**!

103 **rasen** [weak, *sein*]

to race

PRESENT PARTICIPLE	*PAST PARTICIPLE*
rasend	gerast

PRESENT INDICATIVE		*PRESENT SUBJUNCTIVE*	
ich	rase	ich	rase
du	rast	du	rasest
er	rast	er	rase
wir	rasen	wir	rasen
ihr	rast	ihr	raset
sie	rasen	sie	rasen

IMPERFECT INDICATIVE		*IMPERFECT SUBJUNCTIVE*	
ich	raste	ich	raste
du	rastest	du	rastest
er	raste	er	raste
wir	rasten	wir	rasten
ihr	rastet	ihr	rastet
sie	rasten	sie	rasten

FUTURE INDICATIVE		*CONDITIONAL*	
ich	werde rasen	ich	würde rasen
du	wirst rasen	du	würdest rasen
er	wird rasen	er	würde rasen
wir	werden rasen	wir	würden rasen
ihr	werdet rasen	ihr	würdet rasen
sie	werden rasen	sie	würden rasen

PERFECT INDICATIVE		*PLUPERFECT SUBJUNCTIVE*	
ich	bin gerast	ich	wäre gerast
du	bist gerast	du	wär(e)st gerast
er	ist gerast	er	wäre gerast
wir	sind gerast	wir	wären gerast
ihr	seid gerast	ihr	wär(e)t gerast
sie	sind gerast	sie	wären gerast

IMPERATIVE: ras(e)! rasen wir! rast! rasen Sie!

to guess; to advise

PRESENT PARTICIPLE	*PAST PARTICIPLE*
ratend	geraten

PRESENT INDICATIVE		*PRESENT SUBJUNCTIVE*	
ich	rate	ich	rate
du	rätst	du	ratest
er	rät	er	rate
wir	raten	wir	raten
ihr	ratet	ihr	ratet
sie	raten	sie	raten
IMPERFECT INDICATIVE		*IMPERFECT SUBJUNCTIVE*	
ich	riet	ich	riete
du	riet(e)st	du	rietest
er	riet	er	riete
wir	rieten	wir	rieten
ihr	rietet	ihr	rietet
sie	rieten	sie	rieten
FUTURE INDICATIVE		*CONDITIONAL*	
ich	werde raten	ich	würde raten
du	wirst raten	du	würdest raten
er	wird raten	er	würde raten
wir	werden raten	wir	würden raten
ihr	werdet raten	ihr	würdet raten
sie	werden raten	sie	würden raten
PERFECT INDICATIVE		*PLUPERFECT SUBJUNCTIVE*	
ich	habe geraten	ich	hätte geraten
du	hast geraten	du	hättest geraten
er	hat geraten	er	hätte geraten
wir	haben geraten	wir	hätten geraten
ihr	habt geraten	ihr	hättet geraten
sie	haben geraten	sie	hätten geraten

IMPERATIVE: rat(e)! raten wir! ratet! raten Sie!

105 **rechnen** [weak, *haben*]
to calculate

PRESENT PARTICIPLE	*PAST PARTICIPLE*
rechnend	gerechnet

PRESENT INDICATIVE

ich	rechne
du	rechnest
er	rechnet
wir	rechnen
ihr	rechnet
sie	rechnen

IMPERFECT INDICATIVE

ich	rechnete
du	rechnetest
er	rechnete
wir	rechneten
ihr	rechnetet
sie	rechneten

FUTURE INDICATIVE

ich	werde rechnen
du	wirst rechnen
er	wird rechnen
wir	werden rechnen
ihr	werdet rechnen
sie	werden rechnen

PERFECT INDICATIVE

ich	habe gerechnet
du	hast gerechnet
er	hat gerechnet
wir	haben gerechnet
ihr	habt gerechnet
sie	haben gerechnet

PRESENT SUBJUNCTIVE

ich	rechne
du	rechnest
er	rechne
wir	rechnen
ihr	rechnet
sie	rechnen

IMPERFECT SUBJUNCTIVE

ich	rechnete
du	rechnetest
er	rechnete
wir	rechneten
ihr	rechnetet
sie	rechneten

CONDITIONAL

ich	würde rechnen
du	würdest rechnen
er	würde rechnen
wir	würden rechnen
ihr	würdet rechnen
sie	würden rechnen

PLUPERFECT SUBJUNCTIVE

ich	hätte gerechnet
du	hättest gerechnet
er	hätte gerechnet
wir	hätten gerechnet
ihr	hättet gerechnet
sie	hätten gerechnet

IMPERATIVE: rechne! rechnen wir! rechnet! rechnen Sie!

to talk

PRESENT PARTICIPLE	*PAST PARTICIPLE*
redend	geredet

PRESENT INDICATIVE		*PRESENT SUBJUNCTIVE*	
ich	rede	**ich**	rede
du	redest	**du**	redest
er	redet	**er**	rede
wir	reden	**wir**	reden
ihr	redet	**ihr**	redet
sie	reden	**sie**	reden
IMPERFECT INDICATIVE		*IMPERFECT SUBJUNCTIVE*	
ich	redete	**ich**	redete
du	redetest	**du**	redetest
er	redete	**er**	redete
wir	redeten	**wir**	redeten
ihr	redetet	**ihr**	redetet
sie	redeten	**sie**	redeten
FUTURE INDICATIVE		*CONDITIONAL*	
ich	werde reden	**ich**	würde reden
du	wirst reden	**du**	würdest reden
er	wird reden	**er**	würde reden
wir	werden reden	**wir**	würden reden
ihr	werdet reden	**ihr**	würdet reden
sie	werden reden	**sie**	würden reden
PERFECT INDICATIVE		*PLUPERFECT SUBJUNCTIVE*	
ich	habe geredet	**ich**	hätte geredet
du	hast geredet	**du**	hättest geredet
er	hat geredet	**er**	hätte geredet
wir	haben geredet	**wir**	hätten geredet
ihr	habt geredet	**ihr**	hättet geredet
sie	haben geredet	**sie**	hätten geredet

IMPERATIVE: red(e)! reden **wir**! redet! reden **Sie**!

107 **reiben** [strong, *haben*]

to rub

PRESENT PARTICIPLE	*PAST PARTICIPLE*
reibend	gerieben

PRESENT INDICATIVE		*PRESENT SUBJUNCTIVE*	
ich	reibe	ich	reibe
du	reibst	du	reibest
er	reibt	er	reibe
wir	reiben	wir	reiben
ihr	reibt	ihr	reibet
sie	reiben	sie	reiben
IMPERFECT INDICATIVE		*IMPERFECT SUBJUNCTIVE*	
ich	rieb	ich	riebe
du	riebst	du	riebest
er	rieb	er	riebe
wir	rieben	wir	rieben
ihr	riebt	ihr	riebet
sie	rieben	sie	rieben
FUTURE INDICATIVE		*CONDITIONAL*	
ich	werde reiben	ich	würde reiben
du	wirst reiben	du	würdest reiben
er	wird reiben	er	würde reiben
wir	werden reiben	wir	würden reiben
ihr	werdet reiben	ihr	würdet reiben
sie	werden reiben	sie	würden reiben
PERFECT INDICATIVE		*PLUPERFECT SUBJUNCTIVE*	
ich	habe gerieben	ich	hätte gerieben
du	hast gerieben	du	hättest gerieben
er	hat gerieben	er	hätte gerieben
wir	haben gerieben	wir	hätten gerieben
ihr	habt gerieben	ihr	hättet gerieben
sie	haben gerieben	sie	hätten gerieben

IMPERATIVE: reib(e)! reiben wir! reibt! reiben Sie!

to tear (*transitive/intransitive*)

PRESENT PARTICIPLE	*PAST PARTICIPLE*
reißend	**gerissen**

PRESENT INDICATIVE		*PRESENT SUBJUNCTIVE*	
ich	reiße	**ich**	reiße
du	reißt	**du**	reißest
er	reißt	**er**	reiße
wir	reißen	**wir**	reißen
ihr	reißt	**ihr**	reißet
sie	reißen	**sie**	reißen
IMPERFECT INDICATIVE		*IMPERFECT SUBJUNCTIVE*	
ich	**riß**	**ich**	**risse**
du	**rissest**	**du**	**rissest**
er	**riß**	**er**	**risse**
wir	**rissen**	**wir**	**rissen**
ihr	**rißt**	**ihr**	**risset**
sie	**rissen**	**sie**	**rissen**
FUTURE INDICATIVE		*CONDITIONAL*	
ich	werde reißen	**ich**	würde reißen
du	wirst reißen	**du**	würdest reißen
er	wird reißen	**er**	würde reißen
wir	werden reißen	**wir**	würden reißen
ihr	werdet reißen	**ihr**	würdet reißen
sie	werden reißen	**sie**	würden reißen
PERFECT INDICATIVE		*PLUPERFECT SUBJUNCTIVE*	
ich	habe **gerissen***	**ich**	hätte **gerissen***
du	hast **gerissen**	**du**	hättest **gerissen**
er	hat **gerissen**	**er**	hätte **gerissen**
wir	haben **gerissen**	**wir**	hätten **gerissen**
ihr	habt **gerissen**	**ihr**	hättet **gerissen**
sie	haben **gerissen**	**sie**	hätten **gerissen**

IMPERATIVE: reiß(**e**)! reißen **wir**! reißt! reißen **Sie**!

OR*: **ich bin/wäre **gerissen** *etc* (*when intransitive*).

109 **reiten** [strong, *haben/sein*]

to ride (*transitive/intransitive*)

PRESENT PARTICIPLE	*PAST PARTICIPLE*
reitend	**geritten**

PRESENT INDICATIVE		*PRESENT SUBJUNCTIVE*	
ich	reite	**ich**	reite
du	reitest	**du**	reitest
er	reitet	**er**	reite
wir	reiten	**wir**	reiten
ihr	reitet	**ihr**	reitet
sie	reiten	**sie**	reiten
IMPERFECT INDICATIVE		*IMPERFECT SUBJUNCTIVE*	
ich	**ritt**	**ich**	**ritte**
du	**ritt(e)st**	**du**	**rittest**
er	**ritt**	**er**	**ritte**
wir	**ritten**	**wir**	**ritten**
ihr	**rittet**	**ihr**	**rittet**
sie	**ritten**	**sie**	**ritten**
FUTURE INDICATIVE		*CONDITIONAL*	
ich	werde reiten	**ich**	würde reiten
du	wirst reiten	**du**	würdest reiten
er	wird reiten	**er**	würde reiten
wir	werden reiten	**wir**	würden reiten
ihr	werdet reiten	**ihr**	würdet reiten
sie	werden reiten	**sie**	würden reiten
PERFECT INDICATIVE		*PLUPERFECT SUBJUNCTIVE*	
ich	habe **geritten***	**ich**	hätte **geritten***
du	hast **geritten**	**du**	hättest **geritten**
er	hat **geritten**	**er**	hätte **geritten**
wir	haben **geritten**	**wir**	hätten **geritten**
ihr	habt **geritten**	**ihr**	hättet **geritten**
sie	haben **geritten**	**sie**	hätten **geritten**

IMPERATIVE: reit(e)! reiten **wir**! reitet! reiten **Sie**!
OR*: **ich bin/wäre **geritten** *etc* (*when intransitive*).

to run

PRESENT PARTICIPLE	*PAST PARTICIPLE*
rennend	**gerannt**

PRESENT INDICATIVE		*PRESENT SUBJUNCTIVE*	
ich	renne	**ich**	renne
du	rennst	**du**	renn**e**st
er	rennt	**er**	renn**e**
wir	rennen	**wir**	rennen
ihr	rennt	**ihr**	renn**e**t
sie	rennen	**sie**	rennen
IMPERFECT INDICATIVE		*IMPERFECT SUBJUNCTIVE*	
ich	**rannte**	**ich**	**rennte**
du	**ranntest**	**du**	**renntest**
er	**rannte**	**er**	**rennte**
wir	**rannten**	**wir**	**rennten**
ihr	**ranntet**	**ihr**	**renntet**
sie	**rannten**	**sie**	**rennten**
FUTURE INDICATIVE		*CONDITIONAL*	
ich	werde rennen	**ich**	würde rennen
du	wirst rennen	**du**	würdest rennen
er	wird rennen	**er**	würde rennen
wir	werden rennen	**wir**	würden rennen
ihr	werdet rennen	**ihr**	würdet rennen
sie	werden rennen	**sie**	würden rennen
PERFECT INDICATIVE		*PLUPERFECT SUBJUNCTIVE*	
ich	bin **gerannt**	**ich**	wäre **gerannt**
du	bist **gerannt**	**du**	wär(e)st **gerannt**
er	ist **gerannt**	**er**	wäre **gerannt**
wir	sind **gerannt**	**wir**	wären **gerannt**
ihr	seid **gerannt**	**ihr**	wär(e)t **gerannt**
sie	sind **gerannt**	**sie**	wären **gerannt**

IMPERATIVE: renn(**e**)! rennen **wir**! rennt! rennen **Sie**!

111 **riechen** [strong, *haben*]
to smell

PRESENT PARTICIPLE	*PAST PARTICIPLE*
riechend	**gerochen**

PRESENT INDICATIVE		*PRESENT SUBJUNCTIVE*	
ich	rieche	**ich**	rieche
du	riechst	**du**	riechest
er	riecht	**er**	rieche
wir	riechen	**wir**	riechen
ihr	riecht	**ihr**	riechet
sie	riechen	**sie**	riechen
IMPERFECT INDICATIVE		*IMPERFECT SUBJUNCTIVE*	
ich	**roch**	**ich**	**röche**
du	**rochst**	**du**	**röchest**
er	**roch**	**er**	**röche**
wir	**rochen**	**wir**	**röchen**
ihr	**rocht**	**ihr**	**röchet**
sie	**rochen**	**sie**	**röchen**
FUTURE INDICATIVE		*CONDITIONAL*	
ich	werde riechen	**ich**	würde riechen
du	wirst riechen	**du**	würdest riechen
er	wird riechen	**er**	würde riechen
wir	werden riechen	**wir**	würden riechen
ihr	werdet riechen	**ihr**	würdet riechen
sie	werden riechen	**sie**	würden riechen
PERFECT INDICATIVE		*PLUPERFECT SUBJUNCTIVE*	
ich	habe **gerochen**	**ich**	hätte **gerochen**
du	hast **gerochen**	**du**	hättest **gerochen**
er	hat **gerochen**	**er**	hätte **gerochen**
wir	haben **gerochen**	**wir**	hätten **gerochen**
ihr	habt **gerochen**	**ihr**	hättet **gerochen**
sie	haben **gerochen**	**sie**	hätten **gerochen**

IMPERATIVE: riech(**e**)! riech**en wir**! riech**t**! riech**en Sie**!

to struggle

PRESENT PARTICIPLE	*PAST PARTICIPLE*
ringend	**gerungen**

PRESENT INDICATIVE	*PRESENT SUBJUNCTIVE*
ich ringe	**ich** ringe
du ringst	**du** ringest
er ringt	**er** ringe
wir ringen	**wir** ringen
ihr ringt	**ihr** ringet
sie ringen	**sie** ringen
IMPERFECT INDICATIVE	*IMPERFECT SUBJUNCTIVE*
ich rang	**ich ränge**
du rangst	**du rängest**
er rang	**er ränge**
wir rangen	**wir rängen**
ihr rangt	**ihr ränget**
sie rangen	**sie rängen**
FUTURE INDICATIVE	*CONDITIONAL*
ich werde ringen	**ich** würde ringen
du wirst ringen	**du** würdest ringen
er wird ringen	**er** würde ringen
wir werden ringen	**wir** würden ringen
ihr werdet ringen	**ihr** würdet ringen
sie werden ringen	**sie** würden ringen
PERFECT INDICATIVE	*PLUPERFECT SUBJUNCTIVE*
ich habe **gerungen**	**ich** hätte **gerungen**
du hast **gerungen**	**du** hättest **gerungen**
er hat **gerungen**	**er** hätte **gerungen**
wir haben **gerungen**	**wir** hätten **gerungen**
ihr habt **gerungen**	**ihr** hättet **gerungen**
sie haben **gerungen**	**sie** hätten **gerungen**

IMPERATIVE: ring(**e**)! ringen **wir**! ringt! ringen **Sie**!

113 **rinnen** [strong, *sein*]

to run, flow

PRESENT PARTICIPLE	*PAST PARTICIPLE*
rinnend	geronnen

PRESENT INDICATIVE		*PRESENT SUBJUNCTIVE*	
ich	rinne	**ich**	rinne
du	rinnst	**du**	rinnest
er	rinnt	**er**	rinne
wir	rinnen	**wir**	rinnen
ihr	rinnt	**ihr**	rinnet
sie	rinnen	**sie**	rinnen
IMPERFECT INDICATIVE		*IMPERFECT SUBJUNCTIVE*	
ich	rann	**ich**	ränne
du	rannst	**du**	rännest
er	rann	**er**	ränne
wir	rannen	**wir**	rännen
ihr	rannt	**ihr**	rännet
sie	rannen	**sie**	rännen
FUTURE INDICATIVE		*CONDITIONAL*	
ich	werde rinnen	**ich**	würde rinnen
du	wirst rinnen	**du**	würdest rinnen
er	wird rinnen	**er**	würde rinnen
wir	werden rinnen	**wir**	würden rinnen
ihr	werdet rinnen	**ihr**	würdet rinnen
sie	werden rinnen	**sie**	würden rinnen
PERFECT INDICATIVE		*PLUPERFECT SUBJUNCTIVE*	
ich	bin geronnen	**ich**	wäre geronnen
du	bist geronnen	**du**	wär(e)st geronnen
er	ist geronnen	**er**	wäre geronnen
wir	sind geronnen	**wir**	wären geronnen
ihr	seid geronnen	**ihr**	wär(e)t geronnen
sie	sind geronnen	**sie**	wären geronnen

IMPERATIVE: rinn(e)! rinnen **wir**! rinnt! rinnen **Sie**!

[strong, *haben*] **rufen** 114
to shout, call

PRESENT PARTICIPLE	*PAST PARTICIPLE*
rufend	**gerufen**

PRESENT INDICATIVE		*PRESENT SUBJUNCTIVE*	
ich	rufe	**ich**	rufe
du	rufst	**du**	rufest
er	ruft	**er**	rufe
wir	rufen	**wir**	rufen
ihr	ruft	**ihr**	rufet
sie	rufen	**sie**	rufen
IMPERFECT INDICATIVE		*IMPERFECT SUBJUNCTIVE*	
ich	**rief**	**ich**	**riefe**
du	**riefst**	**du**	**riefest**
er	**rief**	**er**	**riefe**
wir	**riefen**	**wir**	**riefen**
ihr	**rieft**	**ihr**	**riefet**
sie	**riefen**	**sie**	**riefen**
FUTURE INDICATIVE		*CONDITIONAL*	
ich	werde rufen	**ich**	würde rufen
du	wirst rufen	**du**	würdest rufen
er	wird rufen	**er**	würde rufen
wir	werden rufen	**wir**	würden rufen
ihr	werdet rufen	**ihr**	würdet rufen
sie	werden rufen	**sie**	würden rufen
PERFECT INDICATIVE		*PLUPERFECT SUBJUNCTIVE*	
ich	habe **gerufen**	**ich**	hätte **gerufen**
du	hast **gerufen**	**du**	hättest **gerufen**
er	hat **gerufen**	**er**	hätte **gerufen**
wir	haben **gerufen**	**wir**	hätten **gerufen**
ihr	habt **gerufen**	**ihr**	hättet **gerufen**
sie	haben **gerufen**	**sie**	hätten **gerufen**

IMPERATIVE: ruf(e)! rufen **wir**! ruft! rufen **Sie**!

115 **saufen** [strong, *haben*]
to drink

PRESENT PARTICIPLE	*PAST PARTICIPLE*
saufend	**gesoffen**

PRESENT INDICATIVE		*PRESENT SUBJUNCTIVE*	
ich	saufe	**ich**	saufe
du	**säufst**	**du**	saufest
er	**säuft**	**er**	saufe
wir	saufen	**wir**	saufen
ihr	sauft	**ihr**	saufet
sie	saufen	**sie**	saufen
IMPERFECT INDICATIVE		*IMPERFECT SUBJUNCTIVE*	
ich	**soff**	**ich**	**söffe**
du	**soffst**	**du**	**söffest**
er	**soff**	**er**	**söffe**
wir	**soffen**	**wir**	**söffen**
ihr	**sofft**	**ihr**	**söffet**
sie	**soffen**	**sie**	**söffen**
FUTURE INDICATIVE		*CONDITIONAL*	
ich	werde saufen	**ich**	würde saufen
du	wirst saufen	**du**	würdest saufen
er	wird saufen	**er**	würde saufen
wir	werden saufen	**wir**	würden saufen
ihr	werdet saufen	**ihr**	würdet saufen
sie	werden saufen	**sie**	würden saufen
PERFECT INDICATIVE		*PLUPERFECT SUBJUNCTIVE*	
ich	habe **gesoffen**	**ich**	hätte **gesoffen**
du	hast **gesoffen**	**du**	hättest **gesoffen**
er	hat **gesoffen**	**er**	hätte **gesoffen**
wir	haben **gesoffen**	**wir**	hätten **gesoffen**
ihr	habt **gesoffen**	**ihr**	hättet **gesoffen**
sie	haben **gesoffen**	**sie**	hätten **gesoffen**

IMPERATIVE: sauf(e)! saufen **wir**! sauft! saufen **Sie**!

to suck

PRESENT PARTICIPLE	*PAST PARTICIPLE*
saugen**d**	**gesogen**

PRESENT INDICATIVE

ich saug**e**
du saug**st**
er saug**t**
wir saug**en**
ihr saug**t**
sie saug**en**

IMPERFECT INDICATIVE

ich **sog**
du **sogst**
er **sog**
wir **sogen**
ihr **sogt**
sie **sogen**

FUTURE INDICATIVE

ich werde saugen
du wirst saugen
er wird saugen
wir werden saugen
ihr werdet saugen
sie werden saugen

PERFECT INDICATIVE

ich habe **gesogen**
du hast **gesogen**
er hat **gesogen**
wir haben **gesogen**
ihr habt **gesogen**
sie haben **gesogen**

PRESENT SUBJUNCTIVE

ich saug**e**
du saug**est**
er saug**e**
wir saug**en**
ihr saug**et**
sie saug**en**

IMPERFECT SUBJUNCTIVE

ich **söge**
du **sögest**
er **söge**
wir **sögen**
ihr **söget**
sie **sögen**

CONDITIONAL

ich würde saugen
du würdest saugen
er würde saugen
wir würden saugen
ihr würdet saugen
sie würden saugen

PLUPERFECT SUBJUNCTIVE

ich hätte **gesogen**
du hättest **gesogen**
er hätte **gesogen**
wir hätten **gesogen**
ihr hättet **gesogen**
sie hätten **gesogen**

IMPERATIVE: saug(**e**)! saug**en wir**! saug**t**! saug**en Sie**!
**Can also be conjugated as a weak verb, see pp 5 ff.*

117 **schaffen*** [strong, *haben*]
to create

PRESENT PARTICIPLE	*PAST PARTICIPLE*
schaffend	**geschaffen**

PRESENT INDICATIVE	*PRESENT SUBJUNCTIVE*
ich schaffe	**ich** schaffe
du schaffst	**du** schaffest
er schafft	**er** schaffe
wir schaffen	**wir** schaffen
ihr schafft	**ihr** schaffet
sie schaffen	**sie** schaffen
IMPERFECT INDICATIVE	*IMPERFECT SUBJUNCTIVE*
ich **schuf**	**ich** **schüfe**
du **schufst**	**du** **schüfest**
er **schuf**	**er** **schüfe**
wir **schufen**	**wir** **schüfen**
ihr **schuft**	**ihr** **schüfet**
sie **schufen**	**sie** **schüfen**
FUTURE INDICATIVE	*CONDITIONAL*
ich werde schaffen	**ich** würde schaffen
du wirst schaffen	**du** würdest schaffen
er wird schaffen	**er** würde schaffen
wir werden schaffen	**wir** würden schaffen
ihr werdet schaffen	**ihr** würdet schaffen
sie werden schaffen	**sie** würden schaffen
PERFECT INDICATIVE	*PLUPERFECT SUBJUNCTIVE*
ich habe **geschaffen**	**ich** hätte **geschaffen**
du hast **geschaffen**	**du** hättest **geschaffen**
er hat **geschaffen**	**er** hätte **geschaffen**
wir haben **geschaffen**	**wir** hätten **geschaffen**
ihr habt **geschaffen**	**ihr** hättet **geschaffen**
sie haben **geschaffen**	**sie** hätten **geschaffen**

IMPERATIVE: schaff(**e**)! schaff**en wir**! schaff**t**! schaff**en Sie**!

**Conjugated as a weak verb when the meaning is "to manage".*

to resound

PRESENT PARTICIPLE	*PAST PARTICIPLE*
schallend	**geschollen**

PRESENT INDICATIVE		*PRESENT SUBJUNCTIVE*	
ich	schalle	**ich**	schalle
du	schall**st**	**du**	schall**est**
er	schall**t**	**er**	schall**e**
wir	schall**en**	**wir**	schall**en**
ihr	schall**t**	**ihr**	schall**et**
sie	schall**en**	**sie**	schall**en**
IMPERFECT INDICATIVE		*IMPERFECT SUBJUNCTIVE*	
ich	**scholl**	**ich**	**schölle**
du	**schollst**	**du**	**schöllest**
er	**scholl**	**er**	**schölle**
wir	**schollen**	**wir**	**schöllen**
ihr	**schollt**	**ihr**	**schöllet**
sie	**schollen**	**sie**	**schöllen**
FUTURE INDICATIVE		*CONDITIONAL*	
ich	werde schallen	**ich**	würde schallen
du	wirst schallen	**du**	würdest schallen
er	wird schallen	**er**	würde schallen
wir	werden schallen	**wir**	würden schallen
ihr	werdet schallen	**ihr**	würdet schallen
sie	werden schallen	**sie**	würden schallen
PERFECT INDICATIVE		*PLUPERFECT SUBJUNCTIVE*	
ich	habe **geschollen**	**ich**	hätte **geschollen**
du	hast **geschollen**	**du**	hättest **geschollen**
er	hat **geschollen**	**er**	hätte **geschollen**
wir	haben **geschollen**	**wir**	hätten **geschollen**
ihr	habt **geschollen**	**ihr**	hättet **geschollen**
sie	haben **geschollen**	**sie**	hätten **geschollen**

IMPERATIVE: schall(**e**)! schall**en wir**! schall**t**! schall**en Sie**!
This verb is normally weak:* schallte**, **geschallt**.

119 **scheiden** [strong, *haben/sein*]
to separate/to part

PRESENT PARTICIPLE	*PAST PARTICIPLE*
scheid**end**	**geschieden**

PRESENT INDICATIVE

ich	scheide
du	scheid**est**
er	scheid**et**
wir	scheid**en**
ihr	scheid**et**
sie	scheid**en**

IMPERFECT INDICATIVE

ich	**schied**
du	**schied(e)st**
er	**schied**
wir	**schieden**
ihr	**schiedet**
sie	**schieden**

FUTURE INDICATIVE

ich	werde scheiden
du	wirst scheiden
er	wird scheiden
wir	werden scheiden
ihr	werdet scheiden
sie	werden scheiden

PERFECT INDICATIVE

ich	habe **geschieden***
du	hast **geschieden**
er	hat **geschieden**
wir	haben **geschieden**
ihr	habt **geschieden**
sie	haben **geschieden**

PRESENT SUBJUNCTIVE

ich	scheide
du	scheid**est**
er	scheide
wir	scheid**en**
ihr	scheid**et**
sie	scheid**en**

IMPERFECT SUBJUNCTIVE

ich	**schiede**
du	**schiedest**
er	**schiede**
wir	**schieden**
ihr	**schiedet**
sie	**schieden**

CONDITIONAL

ich	würde scheiden
du	würdest scheiden
er	würde scheiden
wir	würden scheiden
ihr	würdet scheiden
sie	würden scheiden

PLUPERFECT SUBJUNCTIVE

ich	hätte **geschieden***
du	hättest **geschieden**
er	hätte **geschieden**
wir	hätten **geschieden**
ihr	hättet **geschieden**
sie	hätten **geschieden**

IMPERATIVE: scheid(**e**)! scheid**en wir**! scheid**et**! scheid**en Sie**!
OR: **ich** bin/wäre **geschieden** *etc when the meaning is "to part".*

to shine; to seem

PRESENT PARTICIPLE	*PAST PARTICIPLE*
scheinend	**geschienen**

PRESENT INDICATIVE		*PRESENT SUBJUNCTIVE*	
ich	scheine	**ich**	scheine
du	scheinst	**du**	scheinest
er	scheint	**er**	scheine
wir	scheinen	**wir**	scheinen
ihr	scheint	**ihr**	scheinet
sie	scheinen	**sie**	scheinen
IMPERFECT INDICATIVE		*IMPERFECT SUBJUNCTIVE*	
ich	**schien**	**ich**	**schiene**
du	**schienst**	**du**	**schienest**
er	**schien**	**er**	**schiene**
wir	**schienen**	**wir**	**schienen**
ihr	**schient**	**ihr**	**schienet**
sie	**schienen**	**sie**	**schienen**
FUTURE INDICATIVE		*CONDITIONAL*	
ich	werde scheinen	**ich**	würde scheinen
du	wirst scheinen	**du**	würdest scheinen
er	wird scheinen	**er**	würde scheinen
wir	werden scheinen	**wir**	würden scheinen
ihr	werdet scheinen	**ihr**	würdet scheinen
sie	werden scheinen	**sie**	würden scheinen
PERFECT INDICATIVE		*PLUPERFECT SUBJUNCTIVE*	
ich	habe **geschienen**	**ich**	hätte **geschienen**
du	hast **geschienen**	**du**	hättest **geschienen**
er	hat **geschienen**	**er**	hätte **geschienen**
wir	haben **geschienen**	**wir**	hätten **geschienen**
ihr	habt **geschienen**	**ihr**	hättet **geschienen**
sie	haben **geschienen**	**sie**	hätten **geschienen**

IMPERATIVE: schein(e)! schein**en wir**! scheint! schein**en Sie**!

121 **schelten** [strong, *haben*]
to scold

PRESENT PARTICIPLE	*PAST PARTICIPLE*
scheltend	**gescholten**

PRESENT INDICATIVE		*PRESENT SUBJUNCTIVE*	
ich	schelte	**ich**	schelte
du	**schiltst**	**du**	scheltest
er	**schilt**	**er**	schelte
wir	schelten	**wir**	schelten
ihr	scheltet	**ihr**	scheltet
sie	schelten	**sie**	schelten
IMPERFECT INDICATIVE		*IMPERFECT SUBJUNCTIVE*	
ich	**schalt**	**ich**	**schölte**
du	**schalt(e)st**	**du**	**schöltest**
er	**schalt**	**er**	**schölte**
wir	**schalten**	**wir**	**schölten**
ihr	**schaltet**	**ihr**	**schöltet**
sie	**schalten**	**sie**	**schölten**
FUTURE INDICATIVE		*CONDITIONAL*	
ich	werde schelten	**ich**	würde schelten
du	wirst schelten	**du**	würdest schelten
er	wird schelten	**er**	würde schelten
wir	werden schelten	**wir**	würden schelten
ihr	werdet schelten	**ihr**	würdet schelten
sie	werden schelten	**sie**	würden schelten
PERFECT INDICATIVE		*PLUPERFECT SUBJUNCTIVE*	
ich	habe **gescholten**	**ich**	hätte **gescholten**
du	hast **gescholten**	**du**	hättest **gescholten**
er	hat **gescholten**	**er**	hätte **gescholten**
wir	haben **gescholten**	**wir**	hätten **gescholten**
ihr	habt **gescholten**	**ihr**	hättet **gescholten**
sie	haben **gescholten**	**sie**	hätten **gescholten**

IMPERATIVE: **schilt**! schelten **wir**! scheltet! schelten **Sie**!

to shear

PRESENT PARTICIPLE	*PAST PARTICIPLE*
scherend	**geschoren**

PRESENT INDICATIVE		*PRESENT SUBJUNCTIVE*	
ich	schere	**ich**	schere
du	scherst	**du**	scherest
er	schert	**er**	schere
wir	scheren	**wir**	scheren
ihr	schert	**ihr**	scheret
sie	scheren	**sie**	scheren
IMPERFECT INDICATIVE		*IMPERFECT SUBJUNCTIVE*	
ich	**schor**	**ich**	**schöre**
du	**schorst**	**du**	**schörest**
er	**schor**	**er**	**schöre**
wir	**schoren**	**wir**	**schören**
ihr	**schort**	**ihr**	**schöret**
sie	**schoren**	**sie**	**schören**
FUTURE INDICATIVE		*CONDITIONAL*	
ich	werde scheren	**ich**	würde scheren
du	wirst scheren	**du**	würdest scheren
er	wird scheren	**er**	würde scheren
wir	werden scheren	**wir**	würden scheren
ihr	werdet scheren	**ihr**	würdet scheren
sie	werden scheren	**sie**	würden scheren
PERFECT INDICATIVE		*PLUPERFECT SUBJUNCTIVE*	
ich	habe **geschoren**	**ich**	hätte **geschoren**
du	hast **geschoren**	**du**	hättest **geschoren**
er	hat **geschoren**	**er**	hätte **geschoren**
wir	haben **geschoren**	**wir**	hätten **geschoren**
ihr	habt **geschoren**	**ihr**	hättet **geschoren**
sie	haben **geschoren**	**sie**	hätten **geschoren**

IMPERATIVE: scher(**e**)! scheren **wir**! schert! scheren **Sie**!

123 **schieben** [strong, *haben*]
to push

PRESENT PARTICIPLE	*PAST PARTICIPLE*
schiebend	**geschoben**

PRESENT INDICATIVE		*PRESENT SUBJUNCTIVE*	
ich	schiebe	**ich**	schiebe
du	schiebst	**du**	schiebest
er	schiebt	**er**	schiebe
wir	schieben	**wir**	schieben
ihr	schiebt	**ihr**	schiebet
sie	schieben	**sie**	schieben
IMPERFECT INDICATIVE		*IMPERFECT SUBJUNCTIVE*	
ich	**schob**	**ich**	**schöbe**
du	**schobst**	**du**	**schöbest**
er	**schob**	**er**	**schöbe**
wir	**schoben**	**wir**	**schöben**
ihr	**schobt**	**ihr**	**schöbet**
sie	**schoben**	**sie**	**schöben**
FUTURE INDICATIVE		*CONDITIONAL*	
ich	werde schieben	**ich**	würde schieben
du	wirst schieben	**du**	würdest schieben
er	wird schieben	**er**	würde schieben
wir	werden schieben	**wir**	würden schieben
ihr	werdet schieben	**ihr**	würdet schieben
sie	werden schieben	**sie**	würden schieben
PERFECT INDICATIVE		*PLUPERFECT SUBJUNCTIVE*	
ich	habe **geschoben**	**ich**	hätte **geschoben**
du	hast **geschoben**	**du**	hättest **geschoben**
er	hat **geschoben**	**er**	hätte **geschoben**
wir	haben **geschoben**	**wir**	hätten **geschoben**
ihr	habt **geschoben**	**ihr**	hättet **geschoben**
sie	haben **geschoben**	**sie**	hätten **geschoben**

IMPERATIVE: schieb(e)! schieben **wir**! schiebt! schieben **Sie**!

to shoot

PRESENT PARTICIPLE	*PAST PARTICIPLE*
schieß**end**	**geschossen**

PRESENT INDICATIVE		*PRESENT SUBJUNCTIVE*	
ich	schieß**e**	**ich**	schieß**e**
du	schieß**t**	**du**	schieß**est**
er	schieß**t**	**er**	schieß**e**
wir	schieß**en**	**wir**	schieß**en**
ihr	schieß**t**	**ihr**	schieß**et**
sie	schieß**en**	**sie**	schieß**en**
IMPERFECT INDICATIVE		*IMPERFECT SUBJUNCTIVE*	
ich	**schoß**	**ich**	**schösse**
du	**schossest**	**du**	**schössest**
er	**schoß**	**er**	**schösse**
wir	**schossen**	**wir**	**schössen**
ihr	**schoßt**	**ihr**	**schösset**
sie	**schossen**	**sie**	**schössen**
FUTURE INDICATIVE		*CONDITIONAL*	
ich	werde schießen	**ich**	würde schießen
du	wirst schießen	**du**	würdest schießen
er	wird schießen	**er**	würde schießen
wir	werden schießen	**wir**	würden schießen
ihr	werdet schießen	**ihr**	würdet schießen
sie	werden schießen	**sie**	würden schießen
PERFECT INDICATIVE		*PLUPERFECT SUBJUNCTIVE*	
ich	habe **geschossen**	**ich**	hätte **geschossen**
du	hast **geschossen**	**du**	hättest **geschossen**
er	hat **geschossen**	**er**	hätte **geschossen**
wir	haben **geschossen**	**wir**	hätten **geschossen**
ihr	habt **geschossen**	**ihr**	hättet **geschossen**
sie	haben **geschossen**	**sie**	hätten **geschossen**

IMPERATIVE: schieß(**e**)! schieß**en wir**! schieß**t**! schieß**en Sie**!

125 **schlafen** [strong, *haben*]

to sleep

PRESENT PARTICIPLE	*PAST PARTICIPLE*
schlafend	**geschlafen**

PRESENT INDICATIVE		*PRESENT SUBJUNCTIVE*	
ich	schlafe	**ich**	schlafe
du	**schläfst**	**du**	schlafest
er	**schläft**	**er**	schlafe
wir	schlafen	**wir**	schlafen
ihr	schlaft	**ihr**	schlafet
sie	schlafen	**sie**	schlafen
IMPERFECT INDICATIVE		*IMPERFECT SUBJUNCTIVE*	
ich	**schlief**	**ich**	**schliefe**
du	**schliefst**	**du**	**schliefest**
er	**schlief**	**er**	**schliefe**
wir	**schliefen**	**wir**	**schliefen**
ihr	**schlieft**	**ihr**	**schliefet**
sie	**schliefen**	**sie**	**schliefen**
FUTURE INDICATIVE		*CONDITIONAL*	
ich	werde schlafen	**ich**	würde schlafen
du	wirst schlafen	**du**	würdest schlafen
er	wird schlafen	**er**	würde schlafen
wir	werden schlafen	**wir**	würden schlafen
ihr	werdet schlafen	**ihr**	würdet schlafen
sie	werden schlafen	**sie**	würden schlafen
PERFECT INDICATIVE		*PLUPERFECT SUBJUNCTIVE*	
ich	habe **geschlafen**	**ich**	hätte **geschlafen**
du	hast **geschlafen**	**du**	hättest **geschlafen**
er	hat **geschlafen**	**er**	hätte **geschlafen**
wir	haben **geschlafen**	**wir**	hätten **geschlafen**
ihr	habt **geschlafen**	**ihr**	hättet **geschlafen**
sie	haben **geschlafen**	**sie**	hätten **geschlafen**

IMPERATIVE: schlaf(**e**)! schlafen **wir**! schlaft! schlafen **Sie**!

PRESENT PARTICIPLE	*PAST PARTICIPLE*
schlagend	**geschlagen**

PRESENT INDICATIVE		*PRESENT SUBJUNCTIVE*	
ich	schlage	**ich**	schlage
du	**schlägst**	**du**	schlagest
er	**schlägt**	**er**	schlage
wir	schlagen	**wir**	schlagen
ihr	schlagt	**ihr**	schlaget
sie	schlagen	**sie**	schlagen

IMPERFECT INDICATIVE		*IMPERFECT SUBJUNCTIVE*	
ich	**schlug**	**ich**	**schlüge**
du	**schlugst**	**du**	**schlügest**
er	**schlug**	**er**	**schlüge**
wir	**schlugen**	**wir**	**schlügen**
ihr	**schlugt**	**ihr**	**schlüget**
sie	**schlugen**	**sie**	**schlügen**

FUTURE INDICATIVE		*CONDITIONAL*	
ich	werde schlagen	**ich**	würde schlagen
du	wirst schlagen	**du**	würdest schlagen
er	wird schlagen	**er**	würde schlagen
wir	werden schlagen	**wir**	würden schlagen
ihr	werdet schlagen	**ihr**	würdet schlagen
sie	werden schlagen	**sie**	würden schlagen

PERFECT INDICATIVE		*PLUPERFECT SUBJUNCTIVE*	
ich	habe **geschlagen**	**ich**	hätte **geschlagen**
du	hast **geschlagen**	**du**	hättest **geschlagen**
er	hat **geschlagen**	**er**	hätte **geschlagen**
wir	haben **geschlagen**	**wir**	hätten **geschlagen**
ihr	habt **geschlagen**	**ihr**	hättet **geschlagen**
sie	haben **geschlagen**	**sie**	hätten **geschlagen**

IMPERATIVE: schlag(e)! schlagen **wir**! schlagt! schlagen **Sie**!

127 **schleichen** [strong, *sein*]

to creep

PRESENT PARTICIPLE
schleichend

PAST PARTICIPLE
geschlichen

PRESENT INDICATIVE

ich	schleich**e**
du	schleich**st**
er	schleich**t**
wir	schleich**en**
ihr	schleich**t**
sie	schleich**en**

PRESENT SUBJUNCTIVE

ich	schleich**e**
du	schleich**est**
er	schleich**e**
wir	schleich**en**
ihr	schleich**et**
sie	schleich**en**

IMPERFECT INDICATIVE

ich	**schlich**
du	**schlichst**
er	**schlich**
wir	**schlichen**
ihr	**schlicht**
sie	**schlichen**

IMPERFECT SUBJUNCTIVE

ich	**schliche**
du	**schlichest**
er	**schliche**
wir	**schlichen**
ihr	**schlichet**
sie	**schlichen**

FUTURE INDICATIVE

ich	werde schleichen
du	wirst schleichen
er	wird schleichen
wir	werden schleichen
ihr	werdet schleichen
sie	werden schleichen

CONDITIONAL

ich	würde schleichen
du	würdest schleichen
er	würde schleichen
wir	würden schleichen
ihr	würdet schleichen
sie	würden schleichen

PERFECT INDICATIVE

ich	bin **geschlichen**
du	bist **geschlichen**
er	ist **geschlichen**
wir	sind **geschlichen**
ihr	seid **geschlichen**
sie	sind **geschlichen**

PLUPERFECT SUBJUNCTIVE

ich	wäre **geschlichen**
du	wär(e)st **geschlichen**
er	wäre **geschlichen**
wir	wären **geschlichen**
ihr	wär(e)t **geschlichen**
sie	wären **geschlichen**

IMPERATIVE: schleich(**e**)! schleich**en wir**! schleich**t**! schleich**en Sie**!

to drag

PRESENT PARTICIPLE	*PAST PARTICIPLE*
schleifend	**geschliffen**

PRESENT INDICATIVE		*PRESENT SUBJUNCTIVE*	
ich	schleife	**ich**	schleife
du	schleifst	**du**	schleifest
er	schleift	**er**	schleife
wir	schleifen	**wir**	schleifen
ihr	schleift	**ihr**	schleift
sie	schleifen	**sie**	schleifen
IMPERFECT INDICATIVE		*IMPERFECT SUBJUNCTIVE*	
ich	**schliff**	**ich**	**schliffe**
du	**schliffst**	**du**	**schliffest**
er	**schliff**	**er**	**schliffe**
wir	**schliffen**	**wir**	**schliffen**
ihr	**schlifft**	**ihr**	**schliffet**
sie	**schliffen**	**sie**	**schliffen**
FUTURE INDICATIVE		*CONDITIONAL*	
ich	werde schleifen	**ich**	würde schleifen
du	wirst schleifen	**du**	würdest schleifen
er	wird schleifen	**er**	würde schleifen
wir	werden schleifen	**wir**	würden schleifen
ihr	werdet schleifen	**ihr**	würdet schleifen
sie	werden schleifen	**sie**	würden schleifen
PERFECT INDICATIVE		*PLUPERFECT SUBJUNCTIVE*	
ich	habe **geschliffen**	**ich**	hätte **geschliffen**
du	hast **geschliffen**	**du**	hättest **geschliffen**
er	hat **geschliffen**	**er**	hätte **geschliffen**
wir	haben **geschliffen**	**wir**	hätten **geschliffen**
ihr	habt **geschliffen**	**ihr**	hättet **geschliffen**
sie	haben **geschliffen**	**sie**	hätten **geschliffen**

IMPERATIVE: schleif(**e**)! schleifen **wir**! schleift! schleifen **Sie**!

129 schließen [strong, *haben*]
to close

PRESENT PARTICIPLE	*PAST PARTICIPLE*
schließend	geschlossen

PRESENT INDICATIVE		*PRESENT SUBJUNCTIVE*	
ich	schließe	ich	schließe
du	schließt	du	schließest
er	schließt	er	schließe
wir	schließen	wir	schließen
ihr	schließt	ihr	schließet
sie	schließen	sie	schließen
IMPERFECT INDICATIVE		*IMPERFECT SUBJUNCTIVE*	
ich	schloß	ich	schlösse
du	schlossest	du	schlössest
er	schloß	er	schlösse
wir	schlossen	wir	schlössen
ihr	schloßt	ihr	schlösset
sie	schlossen	sie	schlössen
FUTURE INDICATIVE		*CONDITIONAL*	
ich	werde schließen	ich	würde schließen
du	wirst schließen	du	würdest schließen
er	wird schließen	er	würde schließen
wir	werden schließen	wir	würden schließen
ihr	werdet schließen	ihr	würdet schließen
sie	werden schließen	sie	würden schließen
PERFECT INDICATIVE		*PLUPERFECT SUBJUNCTIVE*	
ich	habe geschlossen	ich	hätte geschlossen
du	hast geschlossen	du	hättest geschlossen
er	hat geschlossen	er	hätte geschlossen
wir	haben geschlossen	wir	hätten geschlossen
ihr	habt geschlossen	ihr	hättet geschlossen
sie	haben geschlossen	sie	hätten geschlossen

IMPERATIVE: schließ(e)! schließen wir! schließt! schließen Sie!

to wind

PRESENT PARTICIPLE	*PAST PARTICIPLE*
schlingend	**geschlungen**

PRESENT INDICATIVE	*PRESENT SUBJUNCTIVE*
ich schlinge	**ich** schlinge
du schlingst	**du** schlingest
er schlingt	**er** schlinge
wir schlingen	**wir** schlingen
ihr schlingt	**ihr** schlinget
sie schlingen	**sie** schlingen
IMPERFECT INDICATIVE	*IMPERFECT SUBJUNCTIVE*
ich **schlang**	**ich** **schlänge**
du **schlangst**	**du** **schlängest**
er **schlang**	**er** **schlänge**
wir **schlangen**	**wir** **schlängen**
ihr **schlangt**	**ihr** **schlänget**
sie **schlangen**	**sie** **schlängen**
FUTURE INDICATIVE	*CONDITIONAL*
ich werde schlingen	**ich** würde schlingen
du wirst schlingen	**du** würdest schlingen
er wird schlingen	**er** würde schlingen
wir werden schlingen	**wir** würden schlingen
ihr werdet schlingen	**ihr** würdet schlingen
sie werden schlingen	**sie** würden schlingen
PERFECT INDICATIVE	*PLUPERFECT SUBJUNCTIVE*
ich habe **geschlungen**	**ich** hätte **geschlungen**
du hast **geschlungen**	**du** hättest **geschlungen**
er hat **geschlungen**	**er** hätte **geschlungen**
wir haben **geschlungen**	**wir** hätten **geschlungen**
ihr habt **geschlungen**	**ihr** hättet **geschlungen**
sie haben **geschlungen**	**sie** hätten **geschlungen**

IMPERATIVE: schling(e)! schlingen **wir**! schlingt! schlingen **Sie**!

131 **schmeißen** [strong, *haben*]
to fling

PRESENT PARTICIPLE	*PAST PARTICIPLE*
schmeißend	**geschmissen**

PRESENT INDICATIVE
ich schmeiße
du schmeißt
er schmeißt
wir schmeißen
ihr schmeißt
sie schmeißen

IMPERFECT INDICATIVE
ich schmiß
du schmissest
er schmiß
wir schmissen
ihr schmißt
sie schmissen

FUTURE INDICATIVE
ich werde schmeißen
du wirst schmeißen
er wird schmeißen
wir werden schmeißen
ihr werdet schmeißen
sie werden schmeißen

PERFECT INDICATIVE
ich habe **geschmissen**
du hast **geschmissen**
er hat **geschmissen**
wir haben **geschmissen**
ihr habt **geschmissen**
sie haben **geschmissen**

PRESENT SUBJUNCTIVE
ich schmeiße
du schmeißest
er schmeiße
wir schmeißen
ihr schmeißet
sie schmeißen

IMPERFECT SUBJUNCTIVE
ich schmisse
du schmissest
er schmisse
wir schmissen
ihr schmisset
sie schmissen

CONDITIONAL
ich würde schmeißen
du würdest schmeißen
er würde schmeißen
wir würden schmeißen
ihr würdet schmeißen
sie würden schmeißen

PLUPERFECT SUBJUNCTIVE
ich hätte **geschmissen**
du hättest **geschmissen**
er hätte **geschmissen**
wir hätten **geschmissen**
ihr hättet **geschmissen**
sie hätten **geschmissen**

IMPERATIVE: schmeiß(**e**)! schmeiß**en wir**! schmeißt! schmeiß**en Sie**!

to melt (*transitive/intransitive*)

PRESENT PARTICIPLE	*PAST PARTICIPLE*
schmelzen**d**	**geschmolzen**

PRESENT INDICATIVE		*PRESENT SUBJUNCTIVE*	
ich	schmelze	**ich**	schmelze
du	**schmilzt**	**du**	schmelz**est**
er	**schmilzt**	**er**	schmelze
wir	schmelze**n**	**wir**	schmelze**n**
ihr	schmelz**t**	**ihr**	schmelz**et**
sie	schmelze**n**	**sie**	schmelze**n**

IMPERFECT INDICATIVE		*IMPERFECT SUBJUNCTIVE*	
ich	**schmolz**	**ich**	**schmölze**
du	**schmolzest**	**du**	**schmölzest**
er	**schmolz**	**er**	**schmölze**
wir	**schmolzen**	**wir**	**schmölzen**
ihr	**schmolzt**	**ihr**	**schmölzet**
sie	**schmolzen**	**sie**	**schmölzen**

FUTURE INDICATIVE		*CONDITIONAL*	
ich	werde schmelzen	**ich**	würde schmelzen
du	wirst schmelzen	**du**	würdest schmelzen
er	wird schmelzen	**er**	würde schmelzen
wir	werden schmelzen	**wir**	würden schmelzen
ihr	werdet schmelzen	**ihr**	würdet schmelzen
sie	werden schmelzen	**sie**	würden schmelzen

PERFECT INDICATIVE		*PLUPERFECT SUBJUNCTIVE*	
ich	habe **geschmolzen**	**ich**	hätte **geschmolzen**
du	hast **geschmolzen**	**du**	hättest **geschmolzen**
er	hat **geschmolzen**	**er**	hätte **geschmolzen**
wir	haben **geschmolzen**	**wir**	hätten **geschmolzen**
ihr	habt **geschmolzen**	**ihr**	hättet **geschmolzen**
sie	haben **geschmolzen**	**sie**	hätten **geschmolzen**

IMPERATIVE: **schmilz**! schmelz**en wir**! schmelz**t**! schmelz**en Sie**!

133 **schneiden** [strong, *haben*]

to cut

PRESENT PARTICIPLE	*PAST PARTICIPLE*
schneiden**d**	**geschnitten**

PRESENT INDICATIVE		*PRESENT SUBJUNCTIVE*	
ich	schneid**e**	**ich**	schneid**e**
du	schneid**est**	**du**	schneid**est**
er	schneid**et**	**er**	schneid**e**
wir	schneid**en**	**wir**	schneid**en**
ihr	schneid**et**	**ihr**	schneid**et**
sie	schneid**en**	**sie**	schneid**en**
IMPERFECT INDICATIVE		*IMPERFECT SUBJUNCTIVE*	
ich	**schnitt**	**ich**	**schnitte**
du	**schnittst**	**du**	**schnittest**
er	**schnitt**	**er**	**schnitte**
wir	**schnitten**	**wir**	**schnitten**
ihr	**schnittet**	**ihr**	**schnittet**
sie	**schnitten**	**sie**	**schnitten**
FUTURE INDICATIVE		*CONDITIONAL*	
ich	werde schneiden	**ich**	würde schneiden
du	wirst schneiden	**du**	würdest schneiden
er	wird schneiden	**er**	würde schneiden
wir	werden schneiden	**wir**	würden schneiden
ihr	werdet schneiden	**ihr**	würdet schneiden
sie	werden schneiden	**sie**	würden schneiden
PERFECT INDICATIVE		*PLUPERFECT SUBJUNCTIVE*	
ich	habe **geschnitten**	**ich**	hätte **geschnitten**
du	hast **geschnitten**	**du**	hättest **geschnitten**
er	hat **geschnitten**	**er**	hätte **geschnitten**
wir	haben **geschnitten**	**wir**	hätten **geschnitten**
ihr	habt **geschnitten**	**ihr**	hättet **geschnitten**
sie	haben **geschnitten**	**sie**	hätten **geschnitten**

IMPERATIVE: schneid(**e**)! schneid**en wir**! schneid**et**! schneid**en Sie**!

to write

PRESENT PARTICIPLE	*PAST PARTICIPLE*
schreibend	**geschrieben**

PRESENT INDICATIVE		*PRESENT SUBJUNCTIVE*	
ich	schreibe	**ich**	schreibe
du	schreib**st**	**du**	schreib**est**
er	schreib**t**	**er**	schreibe
wir	schreib**en**	**wir**	schreib**en**
ihr	schreib**t**	**ihr**	schreib**et**
sie	schreib**en**	**sie**	schreib**en**
IMPERFECT INDICATIVE		*IMPERFECT SUBJUNCTIVE*	
ich	**schrieb**	**ich**	**schriebe**
du	**schriebst**	**du**	**schriebest**
er	**schrieb**	**er**	**schriebe**
wir	**schrieben**	**wir**	**schrieben**
ihr	**schriebt**	**ihr**	**schriebet**
sie	**schrieben**	**sie**	**schrieben**
FUTURE INDICATIVE		*CONDITIONAL*	
ich	werde schreiben	**ich**	würde schreiben
du	wirst schreiben	**du**	würdest schreiben
er	wird schreiben	**er**	würde schreiben
wir	werden schreiben	**wir**	würden schreiben
ihr	werdet schreiben	**ihr**	würdet schreiben
sie	werden schreiben	**sie**	würden schreiben
PERFECT INDICATIVE		*PLUPERFECT SUBJUNCTIVE*	
ich	habe **geschrieben**	**ich**	hätte **geschrieben**
du	hast **geschrieben**	**du**	hättest **geschrieben**
er	hat **geschrieben**	**er**	hätte **geschrieben**
wir	haben **geschrieben**	**wir**	hätten **geschrieben**
ihr	habt **geschrieben**	**ihr**	hättet **geschrieben**
sie	haben **geschrieben**	**sie**	hätten **geschrieben**

IMPERATIVE: schreib(e)! schreib**en wir**! schreib**t**! schreib**en Sie**!

135 **schreien** [strong, *haben*]
to shout

PRESENT PARTICIPLE	*PAST PARTICIPLE*
schreiend	**geschrie(e)n**

PRESENT INDICATIVE		*PRESENT SUBJUNCTIVE*	
ich	schreie	**ich**	schreie
du	schrei**st**	**du**	schrei**est**
er	schrei**t**	**er**	schrei**e**
wir	schrei**en**	**wir**	schrei**en**
ihr	schrei**t**	**ihr**	schrei**et**
sie	schrei**en**	**sie**	schrei**en**

IMPERFECT INDICATIVE		*IMPERFECT SUBJUNCTIVE*	
ich	**schrie**	**ich**	**schriee**
du	**schriest**	**du**	**schrieest**
er	**schrie**	**er**	**schriee**
wir	**schrieen**	**wir**	**schrieen**
ihr	**schriet**	**ihr**	**schrieet**
sie	**schrieen**	**sie**	**schrieen**

FUTURE INDICATIVE		*CONDITIONAL*	
ich	werde schreien	**ich**	würde schreien
du	wirst schreien	**du**	würdest schreien
er	wird schreien	**er**	würde schreien
wir	werden schreien	**wir**	würden schreien
ihr	werdet schreien	**ihr**	würdet schreien
sie	werden schreien	**sie**	würden schreien

PERFECT INDICATIVE		*PLUPERFECT SUBJUNCTIVE*	
ich	habe **geschrie(e)n**	**ich**	hätte **geschrie(e)n**
du	hast **geschrie(e)n**	**du**	hättest **geschrie(e)n**
er	hat **geschrie(e)n**	**er**	hätte **geschrie(e)n**
wir	haben **geschrie(e)n**	**wir**	hätten **geschrie(e)n**
ihr	habt **geschrie(e)n**	**ihr**	hättet **geschrie(e)n**
sie	haben **geschrie(e)n**	**sie**	hätten **geschrie(e)n**

IMPERATIVE: schrei(**e**)! schrei**en wir**! schrei**t**! schrei**en Sie**!

to stride

PRESENT PARTICIPLE	*PAST PARTICIPLE*
schreitend	**geschritten**

PRESENT INDICATIVE		*PRESENT SUBJUNCTIVE*	
ich	schreite	**ich**	schreite
du	schreitest	**du**	schreitest
er	schreitet	**er**	schreite
wir	schreiten	**wir**	schreiten
ihr	schreitet	**ihr**	schreitet
sie	schreiten	**sie**	schreiten
IMPERFECT INDICATIVE		*IMPERFECT SUBJUNCTIVE*	
ich	**schritt**	**ich**	**schritte**
du	**schritt(e)st**	**du**	**schrittest**
er	**schritt**	**er**	**schritte**
wir	**schritten**	**wir**	**schritten**
ihr	**schrittet**	**ihr**	**schrittet**
sie	**schritten**	**sie**	**schritten**
FUTURE INDICATIVE		*CONDITIONAL*	
ich	werde schreiten	**ich**	würde schreiten
du	wirst schreiten	**du**	würdest schreiten
er	wird schreiten	**er**	würde schreiten
wir	werden schreiten	**wir**	würden schreiten
ihr	werdet schreiten	**ihr**	würdet schreiten
sie	werden schreiten	**sie**	würden schreiten
PERFECT INDICATIVE		*PLUPERFECT SUBJUNCTIVE*	
ich	bin **geschritten**	**ich**	wäre **geschritten**
du	bist **geschritten**	**du**	wär(e)st **geschritten**
er	ist **geschritten**	**er**	wäre **geschritten**
wir	sind **geschritten**	**wir**	wären **geschritten**
ihr	seid **geschritten**	**ihr**	wär(e)t **geschritten**
sie	sind **geschritten**	**sie**	wären **geschritten**

IMPERATIVE: schreit(**e**)! schreiten **wir**! schreite**t**! schreiten **Sie**!

137 **schweigen** [strong, *haben*]

to be silent

PRESENT PARTICIPLE	*PAST PARTICIPLE*
schweigend	**geschwiegen**

PRESENT INDICATIVE		*PRESENT SUBJUNCTIVE*	
ich	schweige	**ich**	schweige
du	schweigst	**du**	schweigest
er	schweigt	**er**	schweige
wir	schweigen	**wir**	schweigen
ihr	schweigt	**ihr**	schweiget
sie	schweigen	**sie**	schweigen

IMPERFECT INDICATIVE		*IMPERFECT SUBJUNCTIVE*	
ich	**schwieg**	**ich**	**schwiege**
du	**schwiegst**	**du**	**schwiegest**
er	**schwieg**	**er**	**schwiege**
wir	**schwiegen**	**wir**	**schwiegen**
ihr	**schwiegt**	**ihr**	**schwieget**
sie	**schwiegen**	**sie**	**schwiegen**

FUTURE INDICATIVE		*CONDITIONAL*	
ich	werde schweigen	**ich**	würde schweigen
du	wirst schweigen	**du**	würdest schweigen
er	wird schweigen	**er**	würde schweigen
wir	werden schweigen	**wir**	würden schweigen
ihr	werdet schweigen	**ihr**	würdet schweigen
sie	werden schweigen	**sie**	würden schweigen

PERFECT INDICATIVE		*PLUPERFECT SUBJUNCTIVE*	
ich	habe **geschwiegen**	**ich**	hätte **geschwiegen**
du	hast **geschwiegen**	**du**	hättest **geschwiegen**
er	hat **geschwiegen**	**er**	hätte **geschwiegen**
wir	haben **geschwiegen**	**wir**	hätten **geschwiegen**
ihr	habt **geschwiegen**	**ihr**	hättet **geschwiegen**
sie	haben **geschwiegen**	**sie**	hätten **geschwiegen**

IMPERATIVE: schweig(**e**)! schweig**en wir**! schweig**t**! schweig**en Sie**!

to swell

PRESENT PARTICIPLE	*PAST PARTICIPLE*
schwellend	geschwollen

PRESENT INDICATIVE		*PRESENT SUBJUNCTIVE*	
ich	schwelle	ich	schwelle
du	schwillst	du	schwellest
er	schwillt	er	schwelle
wir	schwellen	wir	schwellen
ihr	schwellt	ihr	schwellet
sie	schwellen	sie	schwellen
IMPERFECT INDICATIVE		*IMPERFECT SUBJUNCTIVE*	
ich	schwoll	ich	schwölle
du	schwollst	du	schwöllest
er	schwoll	er	schwölle
wir	schwollen	wir	schwöllen
ihr	schwollt	ihr	schwöllet
sie	schwollen	sie	schwöllen
FUTURE INDICATIVE		*CONDITIONAL*	
ich	werde schwellen	ich	würde schwellen
du	wirst schwellen	du	würdest schwellen
er	wird schwellen	er	würde schwellen
wir	werden schwellen	wir	würden schwellen
ihr	werdet schwellen	ihr	würdet schwellen
sie	werden schwellen	sie	würden schwellen
PERFECT INDICATIVE		*PLUPERFECT SUBJUNCTIVE*	
ich	bin geschwollen	ich	wäre geschwollen
du	bist geschwollen	du	wär(e)st geschwollen
er	ist geschwollen	er	wäre geschwollen
wir	sind geschwollen	wir	wären geschwollen
ihr	seid geschwollen	ihr	wär(e)t geschwollen
sie	sind geschwollen	sie	wären geschwollen

IMPERATIVE: **schwill**! schwell**en wir**! schwell**t**! schwell**en Sie**!

139 **schwimmen** [strong, *sein*]

to swim

PRESENT PARTICIPLE	*PAST PARTICIPLE*
schwimmen**d**	**geschwommen**

PRESENT INDICATIVE		*PRESENT SUBJUNCTIVE*	
ich	schwimm**e**	**ich**	schwimm**e**
du	schwimm**st**	**du**	schwimm**est**
er	schwimm**t**	**er**	schwimm**e**
wir	schwimm**en**	**wir**	schwimm**en**
ihr	schwimm**t**	**ihr**	schwimm**et**
sie	schwimm**en**	**sie**	schwimm**en**
IMPERFECT INDICATIVE		*IMPERFECT SUBJUNCTIVE*	
ich	**schwamm**	**ich**	**schwömme**
du	**schwammst**	**du**	**schwömmest**
er	**schwamm**	**er**	**schwömme**
wir	**schwammen**	**wir**	**schwömmen**
ihr	**schwammt**	**ihr**	**schwömmet**
sie	**schwammen**	**sie**	**schwömmen**
FUTURE INDICATIVE		*CONDITIONAL*	
ich	werde schwimmen	**ich**	würde schwimmen
du	wirst schwimmen	**du**	würdest schwimmen
er	wird schwimmen	**er**	würde schwimmen
wir	werden schwimmen	**wir**	würden schwimmen
ihr	werdet schwimmen	**ihr**	würdet schwimmen
sie	werden schwimmen	**sie**	würden schwimmen
PERFECT INDICATIVE		*PLUPERFECT SUBJUNCTIVE*	
ich	bin **geschwommen**	**ich**	wäre **geschwommen**
du	bist **geschwommen**	**du**	wär(e)st **geschwommen**
er	ist **geschwommen**	**er**	wäre **geschwommen**
wir	sind **geschwommen**	**wir**	wären **geschwommen**
ihr	seid **geschwommen**	**ihr**	wär(e)t **geschwommen**
sie	sind **geschwommen**	**sie**	wären **geschwommen**

IMPERATIVE: schwimm(**e**)! schwimm**en wir**! schwimm**t**! schwimm**en Sie**!

to swing

PRESENT PARTICIPLE	*PAST PARTICIPLE*
schwingen**d**	**geschwungen**

PRESENT INDICATIVE		*PRESENT SUBJUNCTIVE*	
ich	schwing**e**	**ich**	schwing**e**
du	schwing**st**	**du**	schwing**est**
er	schwing**t**	**er**	schwing**e**
wir	schwing**en**	**wir**	schwing**en**
ihr	schwing**t**	**ihr**	schwing**et**
sie	schwing**en**	**sie**	schwing**en**

IMPERFECT INDICATIVE		*IMPERFECT SUBJUNCTIVE*	
ich	**schwang**	**ich**	**schwänge**
du	**schwangst**	**du**	**schwängest**
er	**schwang**	**er**	**schwänge**
wir	**schwangen**	**wir**	**schwängen**
ihr	**schwangt**	**ihr**	**schwänget**
sie	**schwangen**	**sie**	**schwängen**

FUTURE INDICATIVE		*CONDITIONAL*	
ich	werde schwingen	**ich**	würde schwingen
du	wirst schwingen	**du**	würdest schwingen
er	wird schwingen	**er**	würde schwingen
wir	werden schwingen	**wir**	würden schwingen
ihr	werdet schwingen	**ihr**	würdet schwingen
sie	werden schwingen	**sie**	würden schwingen

PERFECT INDICATIVE		*PLUPERFECT SUBJUNCTIVE*	
ich	habe **geschwungen**	**ich**	hätte **geschwungen**
du	hast **geschwungen**	**du**	hättest **geschwungen**
er	hat **geschwungen**	**er**	hätte **geschwungen**
wir	haben **geschwungen**	**wir**	hätten **geschwungen**
ihr	habt **geschwungen**	**ihr**	hättet **geschwungen**
sie	haben **geschwungen**	**sie**	hätten **geschwungen**

IMPERATIVE: schwing(**e**)! schwing**en wir**! schwing**t**! schwing**en Sie**!

141 **schwören** [strong, *haben*]

to vow

PRESENT PARTICIPLE	*PAST PARTICIPLE*
schwörend	**geschworen**

PRESENT INDICATIVE		*PRESENT SUBJUNCTIVE*	
ich	schwöre	**ich**	schwöre
du	schwörst	**du**	schwörest
er	schwört	**er**	schwöre
wir	schwören	**wir**	schwören
ihr	schwört	**ihr**	schwöret
sie	schwören	**sie**	schwören
IMPERFECT INDICATIVE		*IMPERFECT SUBJUNCTIVE*	
ich	**schwor**	**ich**	**schwüre**
du	**schworst**	**du**	**schwürest**
er	**schwor**	**er**	**schwüre**
wir	**schworen**	**wir**	**schwüren**
ihr	**schwort**	**ihr**	**schwüret**
sie	**schworen**	**sie**	**schwüren**
FUTURE INDICATIVE		*CONDITIONAL*	
ich	werde schwören	**ich**	würde schwören
du	wirst schwören	**du**	würdest schwören
er	wird schwören	**er**	würde schwören
wir	werden schwören	**wir**	würden schwören
ihr	werdet schwören	**ihr**	würdet schwören
sie	werden schwören	**sie**	würden schwören
PERFECT INDICATIVE		*PLUPERFECT SUBJUNCTIVE*	
ich	habe **geschworen**	**ich**	hätte **geschworen**
du	hast **geschworen**	**du**	hättest **geschworen**
er	hat **geschworen**	**er**	hätte **geschworen**
wir	haben **geschworen**	**wir**	hätten **geschworen**
ihr	habt **geschworen**	**ihr**	hättet **geschworen**
sie	haben **geschworen**	**sie**	hätten **geschworen**

IMPERATIVE: schwör(**e**)! schwören **wir**! schwört! schwören **Sie**!

sehen
to see

PRESENT PARTICIPLE	*PAST PARTICIPLE*
sehend	**gesehen**

PRESENT INDICATIVE		*PRESENT SUBJUNCTIVE*	
ich	sehe	**ich**	sehe
du	**siehst**	**du**	sehest
er	**sieht**	**er**	sehe
wir	sehen	**wir**	sehen
ihr	seht	**ihr**	sehet
sie	sehen	**sie**	sehen
IMPERFECT INDICATIVE		*IMPERFECT SUBJUNCTIVE*	
ich	**sah**	**ich**	**sähe**
du	**sahst**	**du**	**sähest**
er	**sah**	**er**	**sähe**
wir	**sahen**	**wir**	**sähen**
ihr	**saht**	**ihr**	**sähet**
sie	**sahen**	**sie**	**sähen**
FUTURE INDICATIVE		*CONDITIONAL*	
ich	werde sehen	**ich**	würde sehen
du	wirst sehen	**du**	würdest sehen
er	wird sehen	**er**	würde sehen
wir	werden sehen	**wir**	würden sehen
ihr	werdet sehen	**ihr**	würdet sehen
sie	werden sehen	**sie**	würden sehen
PERFECT INDICATIVE		*PLUPERFECT SUBJUNCTIVE*	
ich	habe **gesehen**	**ich**	hätte **gesehen**
du	hast **gesehen**	**du**	hättest **gesehen**
er	hat **gesehen**	**er**	hätte **gesehen**
wir	haben **gesehen**	**wir**	hätten **gesehen**
ihr	habt **gesehen**	**ihr**	hättet **gesehen**
sie	haben **gesehen**	**sie**	hätten **gesehen**

IMPERATIVE: **sieh(e)**! sehen **wir**! seht! sehen **Sie**!

143 **sein** [strong, *sein*]

to be

PRESENT PARTICIPLE	*PAST PARTICIPLE*
seiend	**gewesen**

PRESENT INDICATIVE	*PRESENT SUBJUNCTIVE*
ich bin	**ich sei**
du bist	**du** sei**(e)st**
er ist	**er sei**
wir sind	**wir** sei**en**
ihr seid	**ihr** sei**et**
sie sind	**sie** sei**en**
IMPERFECT INDICATIVE	*IMPERFECT SUBJUNCTIVE*
ich war	**ich wäre**
du warst	**du wär(e)st**
er war	**er wäre**
wir waren	**wir wären**
ihr wart	**ihr wär(e)t**
sie waren	**sie wären**
FUTURE INDICATIVE	*CONDITIONAL*
ich werde sein	**ich** würde sein
du wirst sein	**du** würdest sein
er wird sein	**er** würde sein
wir werden sein	**wir** würden sein
ihr werdet sein	**ihr** würdet sein
sie werden sein	**sie** würden sein
PERFECT INDICATIVE	*PLUPERFECT SUBJUNCTIVE*
ich bin **gewesen**	**ich** wäre **gewesen**
du bist **gewesen**	**du** wär(e)st **gewesen**
er ist **gewesen**	**er** wäre **gewesen**
wir sind **gewesen**	**wir** wären **gewesen**
ihr seid **gewesen**	**ihr** wär(e)t **gewesen**
sie sind **gewesen**	**sie** wären **gewesen**

IMPERATIVE: **sei**! sei**en wir**! **seid**! sei**en Sie**!

[mixed, *haben*] **senden*** 144
to send

PRESENT PARTICIPLE
send**end**

PAST PARTICIPLE
gesandt

PRESENT INDICATIVE
ich send**e**
du send**est**
er send**et**
wir send**en**
ihr send**et**
sie send**en**

IMPERFECT INDICATIVE
ich sand**te**
du sand**test**
er sand**te**
wir sand**ten**
ihr sand**tet**
sie sand**ten**

FUTURE INDICATIVE
ich werde senden
du wirst senden
er wird senden
wir werden senden
ihr werdet senden
sie werden senden

PERFECT INDICATIVE
ich habe **gesandt**
du hast **gesandt**
er hat **gesandt**
wir haben **gesandt**
ihr habt **gesandt**
sie haben **gesandt**

PRESENT SUBJUNCTIVE
ich send**e**
du send**est**
er send**e**
wir send**en**
ihr send**et**
sie send**en**

IMPERFECT SUBJUNCTIVE
ich send**ete**
du send**etest**
er send**ete**
wir send**eten**
ihr send**etet**
sie send**eten**

CONDITIONAL
ich würde senden
du würdest senden
er würde senden
wir würden senden
ihr würdet senden
sie würden senden

PLUPERFECT SUBJUNCTIVE
ich hätte **gesandt**
du hättest **gesandt**
er hätte **gesandt**
wir hätten **gesandt**
ihr hättet **gesandt**
sie hätten **gesandt**

IMPERATIVE: send(**e**)! send**en wir**! send**et**! send**en Sie**!
**Conjugated as a weak verb when the meaning is "to broadcast".*

145 **singen** [strong, *haben*]

to sing

PRESENT PARTICIPLE	*PAST PARTICIPLE*
singend	**gesungen**

PRESENT INDICATIVE		*PRESENT SUBJUNCTIVE*	
ich	singe	**ich**	singe
du	singst	**du**	singest
er	singt	**er**	singe
wir	singen	**wir**	singen
ihr	singt	**ihr**	singet
sie	singen	**sie**	singen
IMPERFECT INDICATIVE		*IMPERFECT SUBJUNCTIVE*	
ich	**sang**	**ich**	**sänge**
du	**sangst**	**du**	**sängest**
er	**sang**	**er**	**sänge**
wir	**sangen**	**wir**	**sängen**
ihr	**sangt**	**ihr**	**sänget**
sie	**sangen**	**sie**	**sängen**
FUTURE INDICATIVE		*CONDITIONAL*	
ich	werde singen	**ich**	würde singen
du	wirst singen	**du**	würdest singen
er	wird singen	**er**	würde singen
wir	werden singen	**wir**	würden singen
ihr	werdet singen	**ihr**	würdet singen
sie	werden singen	**sie**	würden singen
PERFECT INDICATIVE		*PLUPERFECT SUBJUNCTIVE*	
ich	habe **gesungen**	**ich**	hätte **gesungen**
du	hast **gesungen**	**du**	hättest **gesungen**
er	hat **gesungen**	**er**	hätte **gesungen**
wir	haben **gesungen**	**wir**	hätten **gesungen**
ihr	habt **gesungen**	**ihr**	hättet **gesungen**
sie	haben **gesungen**	**sie**	hätten **gesungen**

IMPERATIVE: sing(**e**)! singen **wir**! singt! singen **Sie**!

to sink

PRESENT PARTICIPLE	*PAST PARTICIPLE*
sinken**d**	**gesunken**

PRESENT INDICATIVE		*PRESENT SUBJUNCTIVE*	
ich	sink**e**	**ich**	sink**e**
du	sink**st**	**du**	sink**est**
er	sink**t**	**er**	sink**e**
wir	sink**en**	**wir**	sink**en**
ihr	sink**t**	**ihr**	sink**et**
sie	sink**en**	**sie**	sink**en**
IMPERFECT INDICATIVE		*IMPERFECT SUBJUNCTIVE*	
ich	**sank**	**ich**	**sänke**
du	**sankst**	**du**	**sänkest**
er	**sank**	**er**	**sänke**
wir	**sanken**	**wir**	**sänken**
ihr	**sankt**	**ihr**	**sänket**
sie	**sanken**	**sie**	**sänken**
FUTURE INDICATIVE		*CONDITIONAL*	
ich	werde sinken	**ich**	würde sinken
du	wirst sinken	**du**	würdest sinken
er	wird sinken	**er**	würde sinken
wir	werden sinken	**wir**	würden sinken
ihr	werdet sinken	**ihr**	würdet sinken
sie	werden sinken	**sie**	würden sinken
PERFECT INDICATIVE		*PLUPERFECT SUBJUNCTIVE*	
ich	bin **gesunken**	**ich**	wäre **gesunken**
du	bist **gesunken**	**du**	wär(e)st **gesunken**
er	ist **gesunken**	**er**	wäre **gesunken**
wir	sind **gesunken**	**wir**	wären **gesunken**
ihr	seid **gesunken**	**ihr**	wär(e)t **gesunken**
sie	sind **gesunken**	**sie**	wären **gesunken**

IMPERATIVE: sink(**e**)! sink**en wir**! sink**t**! sink**en Sie**!

147 **sinnen** [strong, *haben*]

to meditate

PRESENT PARTICIPLE	*PAST PARTICIPLE*
sinnen**d**	**gesonnen**

PRESENT INDICATIVE		*PRESENT SUBJUNCTIVE*	
ich	sinn**e**	**ich**	sinn**e**
du	sinn**st**	**du**	sinn**est**
er	sinn**t**	**er**	sinn**e**
wir	sinn**en**	**wir**	sinn**en**
ihr	sinn**t**	**ihr**	sinn**et**
sie	sinn**en**	**sie**	sinn**en**
IMPERFECT INDICATIVE		*IMPERFECT SUBJUNCTIVE*	
ich	**sann**	**ich**	**sänne**
du	**sannst**	**du**	**sännest**
er	**sann**	**er**	**sänne**
wir	**sannen**	**wir**	**sännen**
ihr	**sannt**	**ihr**	**sännet**
sie	**sannen**	**sie**	**sännen**
FUTURE INDICATIVE		*CONDITIONAL*	
ich	werde sinnen	**ich**	würde sinnen
du	wirst sinnen	**du**	würdest sinnen
er	wird sinnen	**er**	würde sinnen
wir	werden sinnen	**wir**	würden sinnen
ihr	werdet sinnen	**ihr**	würdet sinnen
sie	werden sinnen	**sie**	würden sinnen
PERFECT INDICATIVE		*PLUPERFECT SUBJUNCTIVE*	
ich	habe **gesonnen**	**ich**	hätte **gesonnen**
du	hast **gesonnen**	**du**	hättest **gesonnen**
er	hat **gesonnen**	**er**	hätte **gesonnen**
wir	haben **gesonnen**	**wir**	hätten **gesonnen**
ihr	habt **gesonnen**	**ihr**	hättet **gesonnen**
sie	haben **gesonnen**	**sie**	hätten **gesonnen**

IMPERATIVE: sinn(**e**)! sinn**en wir**! sinn**t**! sinn**en Sie**!

[strong, *haben*] **sitzen** 148

to sit

PRESENT PARTICIPLE
sitzen**d**

PAST PARTICIPLE
gesessen

PRESENT INDICATIVE

ich	sitz**e**
du	sitz**t**
er	sitz**t**
wir	sitz**en**
ihr	sitz**t**
sie	sitz**en**

IMPERFECT INDICATIVE

ich	**saß**
du	**saßest**
er	**saß**
wir	**saßen**
ihr	**saßt**
sie	**saßen**

FUTURE INDICATIVE

ich	werde sitzen
du	wirst sitzen
er	wird sitzen
wir	werden sitzen
ihr	werdet sitzen
sie	werden sitzen

PERFECT INDICATIVE

ich	habe **gesessen**
du	hast **gesessen**
er	hat **gesessen**
wir	haben **gesessen**
ihr	habt **gesessen**
sie	haben **gesessen**

PRESENT SUBJUNCTIVE

ich	sitz**e**
du	sitz**est**
er	sitz**e**
wir	sitz**en**
ihr	sitz**et**
sie	sitz**en**

IMPERFECT SUBJUNCTIVE

ich	**säße**
du	**säßest**
er	**säße**
wir	**säßen**
ihr	**säßet**
sie	**säßen**

CONDITIONAL

ich	würde sitzen
du	würdest sitzen
er	würde sitzen
wir	würden sitzen
ihr	würdet sitzen
sie	würden sitzen

PLUPERFECT SUBJUNCTIVE

ich	hätte **gesessen**
du	hättest **gesessen**
er	hätte **gesessen**
wir	hätten **gesessen**
ihr	hättet **gesessen**
sie	hätten **gesessen**

IMPERATIVE: sitz(**e**)! sitz**en wir**! sitz**t**! sitz**en Sie**!

149 **sollen** [modal, *haben*]

to be to

PRESENT PARTICIPLE	*PAST PARTICIPLE*
sollend	gesollt/sollen*

PRESENT INDICATIVE		*PRESENT SUBJUNCTIVE*	
ich	soll	ich	solle
du	sollst	du	sollest
er	soll	er	solle
wir	sollen	wir	sollen
ihr	sollt	ihr	sollet
sie	sollen	sie	sollen
IMPERFECT INDICATIVE		*IMPERFECT SUBJUNCTIVE*	
ich	sollte	ich	sollte
du	solltest	du	solltest
er	sollte	er	sollte
wir	sollten	wir	sollten
ihr	solltet	ihr	solltet
sie	sollten	sie	sollten
FUTURE INDICATIVE		*CONDITIONAL*	
ich	werde sollen	ich	würde sollen
du	wirst sollen	du	würdest sollen
er	wird sollen	er	würde sollen
wir	werden sollen	wir	würden sollen
ihr	werdet sollen	ihr	würdet sollen
sie	werden sollen	sie	würden sollen
PERFECT INDICATIVE		*PLUPERFECT SUBJUNCTIVE*	
ich	habe gesollt/sollen	ich	hätte gesollt/sollen
du	hast gesollt/sollen	du	hättest gesollt/sollen
er	hat gesollt/sollen	er	hätte gesollt/sollen
wir	haben gesollt/sollen	wir	hätten gesollt/sollen
ihr	habt gesollt/sollen	ihr	hättet gesollt/sollen
sie	haben gesollt/sollen	sie	hätten gesollt/sollen

**The second form is used when combined with an infinitive construction.*

to spew

PRESENT PARTICIPLE	*PAST PARTICIPLE*
speiend	**gespie(e)n**

PRESENT INDICATIVE		*PRESENT SUBJUNCTIVE*	
ich	speie	**ich**	speie
du	speist	**du**	speiest
er	speit	**er**	speie
wir	speien	**wir**	speien
ihr	speit	**ihr**	speiet
sie	speien	**sie**	speien
IMPERFECT INDICATIVE		*IMPERFECT SUBJUNCTIVE*	
ich	**spie**	**ich**	**spiee**
du	**spiest**	**du**	**spieest**
er	**spie**	**er**	**spiee**
wir	**spieen**	**wir**	**spieen**
ihr	**spiet**	**ihr**	**spieet**
sie	**spieen**	**sie**	**spieen**
FUTURE INDICATIVE		*CONDITIONAL*	
ich	werde speien	**ich**	würde speien
du	wirst speien	**du**	würdest speien
er	wird speien	**er**	würde speien
wir	werden speien	**wir**	würden speien
ihr	werdet speien	**ihr**	würdet speien
sie	werden speien	**sie**	würden speien
PERFECT INDICATIVE		*PLUPERFECT SUBJUNCTIVE*	
ich	habe **gespie(e)n**	**ich**	hätte **gespie(e)n**
du	hast **gespie(e)n**	**du**	hättest **gespie(e)n**
er	hat **gespie(e)n**	**er**	hätte **gespie(e)n**
wir	haben **gespie(e)n**	**wir**	hätten **gespie(e)n**
ihr	habt **gespie(e)n**	**ihr**	hättet **gespie(e)n**
sie	haben **gespie(e)n**	**sie**	hätten **gespie(e)n**

IMPERATIVE: spei(**e**)! speien **wir**! speit! speien **Sie**!

151 **spinnen** [strong, *haben*]

to spin

PRESENT PARTICIPLE	*PAST PARTICIPLE*
spinnen**d**	**gesponnen**

PRESENT INDICATIVE	*PRESENT SUBJUNCTIVE*
ich spinn**e**	**ich** spinn**e**
du spinn**st**	**du** spinn**est**
er spinn**t**	**er** spinn**e**
wir spinn**en**	**wir** spinn**en**
ihr spinn**t**	**ihr** spinn**et**
sie spinn**en**	**sie** spinn**en**
IMPERFECT INDICATIVE	*IMPERFECT SUBJUNCTIVE*
ich spann	**ich spönne**
du spannst	**du spönnest**
er spann	**er spönne**
wir spannen	**wir spönnen**
ihr spannt	**ihr spönnet**
sie spannen	**sie spönnen**
FUTURE INDICATIVE	*CONDITIONAL*
ich werde spinnen	**ich** würde spinnen
du wirst spinnen	**du** würdest spinnen
er wird spinnen	**er** würde spinnen
wir werden spinnen	**wir** würden spinnen
ihr werdet spinnen	**ihr** würdet spinnen
sie werden spinnen	**sie** würden spinnen
PERFECT INDICATIVE	*PLUPERFECT SUBJUNCTIVE*
ich habe **gesponnen**	**ich** hätte **gesponnen**
du hast **gesponnen**	**du** hättest **gesponnen**
er hat **gesponnen**	**er** hätte **gesponnen**
wir haben **gesponnen**	**wir** hätten **gesponnen**
ihr habt **gesponnen**	**ihr** hättet **gesponnen**
sie haben **gesponnen**	**sie** hätten **gesponnen**

IMPERATIVE: spinn(**e**)! spinn**en wir**! spinn**t**! spinn**en Sie**!

to speak

PRESENT PARTICIPLE	*PAST PARTICIPLE*
sprechen**d**	**gesprochen**

PRESENT INDICATIVE	*PRESENT SUBJUNCTIVE*
ich spreche**e**	**ich** sprech**e**
du **sprichst**	**du** sprech**est**
er **spricht**	**er** sprech**e**
wir sprech**en**	**wir** sprech**en**
ihr sprech**t**	**ihr** sprech**et**
sie sprech**en**	**sie** sprech**en**
IMPERFECT INDICATIVE	*IMPERFECT SUBJUNCTIVE*
ich **sprach**	**ich** **spräche**
du **sprachst**	**du** **sprächest**
er **sprach**	**er** **spräche**
wir **sprachen**	**wir** **sprächen**
ihr **spracht**	**ihr** **sprächet**
sie **sprachen**	**sie** **sprächen**
FUTURE INDICATIVE	*CONDITIONAL*
ich werde sprechen	**ich** würde sprechen
du wirst sprechen	**du** würdest sprechen
er wird sprechen	**er** würde sprechen
wir werden sprechen	**wir** würden sprechen
ihr werdet sprechen	**ihr** würdet sprechen
sie werden sprechen	**sie** würden sprechen
PERFECT INDICATIVE	*PLUPERFECT SUBJUNCTIVE*
ich habe **gesprochen**	**ich** hätte **gesprochen**
du hast **gesprochen**	**du** hättest **gesprochen**
er hat **gesprochen**	**er** hätte **gesprochen**
wir haben **gesprochen**	**wir** hätten **gesprochen**
ihr habt **gesprochen**	**ihr** hättet **gesprochen**
sie haben **gesprochen**	**sie** hätten **gesprochen**

IMPERATIVE: **sprich**! sprech**en wir**! sprech**t**! sprech**en Sie**!

153 **sprießen** [strong, *sein*]
to sprout

PRESENT PARTICIPLE	*PAST PARTICIPLE*
sprießend	**gesprossen**

PRESENT INDICATIVE		*PRESENT SUBJUNCTIVE*	
ich	sprieße	**ich**	sprieße
du	sprießt	**du**	sprießest
er	sprießt	**er**	sprieße
wir	sprießen	**wir**	sprießen
ihr	sprießt	**ihr**	sprießet
sie	sprießen	**sie**	sprießen
IMPERFECT INDICATIVE		*IMPERFECT SUBJUNCTIVE*	
ich	**sproß**	**ich**	**sprösse**
du	**sprossest**	**du**	**sprössest**
er	**sproß**	**er**	**sprösse**
wir	**sprossen**	**wir**	**sprössen**
ihr	**sproßt**	**ihr**	**sprösset**
sie	**sprossen**	**sie**	**sprössen**
FUTURE INDICATIVE		*CONDITIONAL*	
ich	werde sprießen	**ich**	würde sprießen
du	wirst sprießen	**du**	würdest sprießen
er	wird sprießen	**er**	würde sprießen
wir	werden sprießen	**wir**	würden sprießen
ihr	werdet sprießen	**ihr**	würdet sprießen
sie	werden sprießen	**sie**	würden sprießen
PERFECT INDICATIVE		*PLUPERFECT SUBJUNCTIVE*	
ich	bin **gesprossen**	**ich**	wäre **gesprossen**
du	bist **gesprossen**	**du**	wär(e)st **gesprossen**
er	ist **gesprossen**	**er**	wäre **gesprossen**
wir	sind **gesprossen**	**wir**	wären **gesprossen**
ihr	seid **gesprossen**	**ihr**	wär(e)t **gesprossen**
sie	sind **gesprossen**	**sie**	wären **gesprossen**

IMPERATIVE: sprieß(e)! sprießen **wir**! sprießt! sprießen **Sie**!

to jump

PRESENT PARTICIPLE	*PAST PARTICIPLE*
springend	**gesprungen**

PRESENT INDICATIVE		*PRESENT SUBJUNCTIVE*	
ich	springe	**ich**	springe
du	springst	**du**	springest
er	springt	**er**	springe
wir	springen	**wir**	springen
ihr	springt	**ihr**	springet
sie	springen	**sie**	springen
IMPERFECT INDICATIVE		*IMPERFECT SUBJUNCTIVE*	
ich	**sprang**	**ich**	**spränge**
du	**sprangst**	**du**	**sprängest**
er	**sprang**	**er**	**spränge**
wir	**sprangen**	**wir**	**sprängen**
ihr	**sprangt**	**ihr**	**spränget**
sie	**sprangen**	**sie**	**sprängen**
FUTURE INDICATIVE		*CONDITIONAL*	
ich	werde springen	**ich**	würde springen
du	wirst springen	**du**	würdest springen
er	wird springen	**er**	würde springen
wir	werden springen	**wir**	würden springen
ihr	werdet springen	**ihr**	würdet springen
sie	werden springen	**sie**	würden springen
PERFECT INDICATIVE		*PLUPERFECT SUBJUNCTIVE*	
ich	bin **gesprungen**	**ich**	wäre **gesprungen**
du	bist **gesprungen**	**du**	wär(e)st **gesprungen**
er	ist **gesprungen**	**er**	wäre **gesprungen**
wir	sind **gesprungen**	**wir**	wären **gesprungen**
ihr	seid **gesprungen**	**ihr**	wär(e)t **gesprungen**
sie	sind **gesprungen**	**sie**	wären **gesprungen**

IMPERATIVE: spring(e)! springen **wir**! springt! springen **Sie**!

155 **stechen** [strong, *haben*]

to sting, to prick

PRESENT PARTICIPLE	*PAST PARTICIPLE*
stechen**d**	**gestochen**

PRESENT INDICATIVE		*PRESENT SUBJUNCTIVE*	
ich	stech**e**	**ich**	stech**e**
du	**stichst**	**du**	stech**est**
er	**sticht**	**er**	stech**e**
wir	stech**en**	**wir**	stech**en**
ihr	stech**t**	**ihr**	stech**et**
sie	stech**en**	**sie**	stech**en**
IMPERFECT INDICATIVE		*IMPERFECT SUBJUNCTIVE*	
ich	**stach**	**ich**	**stäche**
du	**stachst**	**du**	**stächest**
er	**stach**	**er**	**stäche**
wir	**stachen**	**wir**	**stächen**
ihr	**stacht**	**ihr**	**stächet**
sie	**stachen**	**sie**	**stächen**
FUTURE INDICATIVE		*CONDITIONAL*	
ich	werde stechen	**ich**	würde stechen
du	wirst stechen	**du**	würdest stechen
er	wird stechen	**er**	würde stechen
wir	werden stechen	**wir**	würden stechen
ihr	werdet stechen	**ihr**	würdet stechen
sie	werden stechen	**sie**	würden stechen
PERFECT INDICATIVE		*PLUPERFECT SUBJUNCTIVE*	
ich	habe **gestochen**	**ich**	hätte **gestochen**
du	hast **gestochen**	**du**	hättest **gestochen**
er	hat **gestochen**	**er**	hätte **gestochen**
wir	haben **gestochen**	**wir**	hätten **gestochen**
ihr	habt **gestochen**	**ihr**	hättet **gestochen**
sie	haben **gestochen**	**sie**	hätten **gestochen**

IMPERATIVE: **stich**! stech**en wir**! stech**t**! stech**en Sie**!

to be (in a place)/to put (*intransitive/transitive*)

PRESENT PARTICIPLE	*PAST PARTICIPLE*
steck**end**	**ge**steck**t**

PRESENT INDICATIVE		*PRESENT SUBJUNCTIVE*	
ich	steck**e**	**ich**	steck**e**
du	steck**st**	**du**	steck**est**
er	steck**t**	**er**	steck**e**
wir	steck**en**	**wir**	steck**en**
ihr	steck**t**	**ihr**	steck**et**
sie	steck**en**	**sie**	steck**en**
IMPERFECT INDICATIVE		*IMPERFECT SUBJUNCTIVE*	
ich	**stak**	**ich**	**stäke**
du	**stakst**	**du**	**stäkest**
er	**stak**	**er**	**stäke**
wir	**staken**	**wir**	**stäken**
ihr	**stakt**	**ihr**	**stäket**
sie	**staken**	**sie**	**stäken**
FUTURE INDICATIVE		*CONDITIONAL*	
ich	werde stecken	**ich**	würde stecken
du	wirst stecken	**du**	würdest stecken
er	wird stecken	**er**	würde stecken
wir	werden stecken	**wir**	würden stecken
ihr	werdet stecken	**ihr**	würdet stecken
sie	werden stecken	**sie**	würden stecken
PERFECT INDICATIVE		*PLUPERFECT SUBJUNCTIVE*	
ich	habe **ge**steck**t**	**ich**	hätte **ge**steck**t**
du	hast **ge**steck**t**	**du**	hättest **ge**steck**t**
er	hat **ge**steck**t**	**er**	hätte **ge**steck**t**
wir	haben **ge**steck**t**	**wir**	hätten **ge**steck**t**
ihr	habt **ge**steck**t**	**ihr**	hättet **ge**steck**t**
sie	haben **ge**steck**t**	**sie**	hätten **ge**steck**t**

IMPERATIVE: steck(**e**)! steck**en wir**! steck**t**! steck**en Sie**!

This verb when transitive is always weak:* steckte**, **ge**steck**t**.

157 **stehen** [strong, *haben*]

to stand

PRESENT PARTICIPLE	*PAST PARTICIPLE*
stehend	**gestanden**

PRESENT INDICATIVE		*PRESENT SUBJUNCTIVE*	
ich	stehe	**ich**	stehe
du	stehst	**du**	stehest
er	steht	**er**	stehe
wir	stehen	**wir**	stehen
ihr	steht	**ihr**	stehet
sie	stehen	**sie**	stehen
IMPERFECT INDICATIVE		*IMPERFECT SUBJUNCTIVE*	
ich	**stand**	**ich**	**stünde**
du	**stand(e)st**	**du**	**stündest**
er	**stand**	**er**	**stünde**
wir	**standen**	**wir**	**stünden**
ihr	**standet**	**ihr**	**stündet**
sie	**standen**	**sie**	**stünden**
FUTURE INDICATIVE		*CONDITIONAL*	
ich	werde stehen	**ich**	würde stehen
du	wirst stehen	**du**	würdest stehen
er	wird stehen	**er**	würde stehen
wir	werden stehen	**wir**	würden stehen
ihr	werdet stehen	**ihr**	würdet stehen
sie	werden stehen	**sie**	würden stehen
PERFECT INDICATIVE		*PLUPERFECT SUBJUNCTIVE*	
ich	habe **gestanden**	**ich**	hätte **gestanden**
du	hast **gestanden**	**du**	hättest **gestanden**
er	hat **gestanden**	**er**	hätte **gestanden**
wir	haben **gestanden**	**wir**	hätten **gestanden**
ihr	habt **gestanden**	**ihr**	hättet **gestanden**
sie	haben **gestanden**	**sie**	hätten **gestanden**

IMPERATIVE: steh(**e**)! stehen **wir**! steht! stehen **Sie**!

to steal

PRESENT PARTICIPLE	PAST PARTICIPLE
stehlend	**gestohlen**

PRESENT INDICATIVE		PRESENT SUBJUNCTIVE	
ich	stehle	ich	stehle
du	**stiehlst**	du	stehlest
er	**stiehlt**	er	stehle
wir	stehlen	wir	stehlen
ihr	stehlt	ihr	stehlet
sie	stehlen	sie	stehlen
IMPERFECT INDICATIVE		*IMPERFECT SUBJUNCTIVE*	
ich	**stahl**	ich	**stähle**
du	**stahlst**	du	**stählest**
er	**stahl**	er	**stähle**
wir	**stahlen**	wir	**stählen**
ihr	**stahlt**	ihr	**stählet**
sie	**stahlen**	sie	**stählen**
FUTURE INDICATIVE		*CONDITIONAL*	
ich	werde stehlen	ich	würde stehlen
du	wirst stehlen	du	würdest stehlen
er	wird stehlen	er	würde stehlen
wir	werden stehlen	wir	würden stehlen
ihr	werdet stehlen	ihr	würdet stehlen
sie	werden stehlen	sie	würden stehlen
PERFECT INDICATIVE		*PLUPERFECT SUBJUNCTIVE*	
ich	habe **gestohlen**	ich	hätte **gestohlen**
du	hast **gestohlen**	du	hättest **gestohlen**
er	hat **gestohlen**	er	hätte **gestohlen**
wir	haben **gestohlen**	wir	hätten **gestohlen**
ihr	habt **gestohlen**	ihr	hättet **gestohlen**
sie	haben **gestohlen**	sie	hätten **gestohlen**

IMPERATIVE: **stiehl**! stehlen **wir**! stehlt! stehlen **Sie**!

159 **steigen** [strong, *sein*]
to climb

PRESENT PARTICIPLE	*PAST PARTICIPLE*
steigen**d**	**gestiegen**

PRESENT INDICATIVE		*PRESENT SUBJUNCTIVE*	
ich	steig**e**	**ich**	steig**e**
du	steig**st**	**du**	steig**est**
er	steig**t**	**er**	steig**e**
wir	steig**en**	**wir**	steig**en**
ihr	steig**t**	**ihr**	steig**et**
sie	steig**en**	**sie**	steig**en**

IMPERFECT INDICATIVE		*IMPERFECT SUBJUNCTIVE*	
ich	**stieg**	**ich**	**stiege**
du	**stiegst**	**du**	**stiegest**
er	**stieg**	**er**	**stiege**
wir	**stiegen**	**wir**	**stiegen**
ihr	**stiegt**	**ihr**	**stieget**
sie	**stiegen**	**sie**	**stiegen**

FUTURE INDICATIVE		*CONDITIONAL*	
ich	werde steigen	**ich**	würde steigen
du	wirst steigen	**du**	würdest steigen
er	wird steigen	**er**	würde steigen
wir	werden steigen	**wir**	würden steigen
ihr	werdet steigen	**ihr**	würdet steigen
sie	werden steigen	**sie**	würden steigen

PERFECT INDICATIVE		*PLUPERFECT SUBJUNCTIVE*	
ich	bin **gestiegen**	**ich**	wäre **gestiegen**
du	bist **gestiegen**	**du**	wär(e)st **gestiegen**
er	ist **gestiegen**	**er**	wäre **gestiegen**
wir	sind **gestiegen**	**wir**	wären **gestiegen**
ihr	seid **gestiegen**	**ihr**	wär(e)t **gestiegen**
sie	sind **gestiegen**	**sie**	wären **gestiegen**

IMPERATIVE: steig(**e**)! steig**en wir**! steig**t**! steig**en Sie**!

[strong, *sein*] **sterben** 160

to die

PRESENT PARTICIPLE
sterben**d**

PAST PARTICIPLE
gestorben

PRESENT INDICATIVE
ich sterb**e**
du **stirbst**
er **stirbt**
wir sterb**en**
ihr sterb**t**
sie sterb**en**

IMPERFECT INDICATIVE
ich **starb**
du **starbst**
er **starb**
wir **starben**
ihr **starbt**
sie **starben**

FUTURE INDICATIVE
ich werde sterben
du wirst sterben
er wird sterben
wir werden sterben
ihr werdet sterben
sie werden sterben

PERFECT INDICATIVE
ich bin **gestorben**
du bist **gestorben**
er ist **gestorben**
wir sind **gestorben**
ihr seid **gestorben**
sie sind **gestorben**

PRESENT SUBJUNCTIVE
ich sterb**e**
du sterb**est**
er sterb**e**
wir sterb**en**
ihr sterb**et**
sie sterb**en**

IMPERFECT SUBJUNCTIVE
ich **stürbe**
du **stürbest**
er **stürbe**
wir **stürben**
ihr **stürbet**
sie **stürben**

CONDITIONAL
ich würde sterben
du würdest sterben
er würde sterben
wir würden sterben
ihr würdet sterben
sie würden sterben

PLUPERFECT SUBJUNCTIVE
ich wäre **gestorben**
du wär(e)st **gestorben**
er wäre **gestorben**
wir wären **gestorben**
ihr wär(e)t **gestorben**
sie wären **gestorben**

IMPERATIVE: **stirb**! sterb**en wir**! sterb**t**! sterb**en Sie**!

161 **stinken** [strong, *haben*]
to stink

PRESENT PARTICIPLE	*PAST PARTICIPLE*
stinkend	**gestunken**

PRESENT INDICATIVE		*PRESENT SUBJUNCTIVE*	
ich	stink**e**	**ich**	stink**e**
du	stink**st**	**du**	stink**est**
er	stink**t**	**er**	stink**e**
wir	stink**en**	**wir**	stink**en**
ihr	stink**t**	**ihr**	stink**et**
sie	stink**en**	**sie**	stink**en**

IMPERFECT INDICATIVE		*IMPERFECT SUBJUNCTIVE*	
ich	**stank**	**ich**	**stänke**
du	**stankst**	**du**	**stänkest**
er	**stank**	**er**	**stänke**
wir	**stanken**	**wir**	**stänken**
ihr	**stankt**	**ihr**	**stänket**
sie	**stanken**	**sie**	**stänken**

FUTURE INDICATIVE		*CONDITIONAL*	
ich	werde stinken	**ich**	würde stinken
du	wirst stinken	**du**	würdest stinken
er	wird stinken	**er**	würde stinken
wir	werden stinken	**wir**	würden stinken
ihr	werdet stinken	**ihr**	würdet stinken
sie	werden stinken	**sie**	würden stinken

PERFECT INDICATIVE		*PLUPERFECT SUBJUNCTIVE*	
ich	habe **gestunken**	**ich**	hätte **gestunken**
du	hast **gestunken**	**du**	hättest **gestunken**
er	hat **gestunken**	**er**	hätte **gestunken**
wir	haben **gestunken**	**wir**	hätten **gestunken**
ihr	habt **gestunken**	**ihr**	hättet **gestunken**
sie	haben **gestunken**	**sie**	hätten **gestunken**

IMPERATIVE: stink(**e**)! stink**en wir**! stink**t**! stink**en Sie**!

to push

PRESENT PARTICIPLE	*PAST PARTICIPLE*
stoßend	gestoßen

PRESENT INDICATIVE		*PRESENT SUBJUNCTIVE*	
ich	stoße	ich	stoße
du	stößt	du	stoßest
er	stößt	er	stoße
wir	stoßen	wir	stoßen
ihr	stoßt	ihr	stoßet
sie	stoßen	sie	stoßen
IMPERFECT INDICATIVE		*IMPERFECT SUBJUNCTIVE*	
ich	stieß	ich	stieße
du	stießest	du	stießest
er	stieß	er	stieße
wir	stießen	wir	stießen
ihr	stießt	ihr	stießet
sie	stießen	sie	stießen
FUTURE INDICATIVE		*CONDITIONAL*	
ich	werde stoßen	ich	würde stoßen
du	wirst stoßen	du	würdest stoßen
er	wird stoßen	er	würde stoßen
wir	werden stoßen	wir	würden stoßen
ihr	werdet stoßen	ihr	würdet stoßen
sie	werden stoßen	sie	würden stoßen
PERFECT INDICATIVE		*PLUPERFECT SUBJUNCTIVE*	
ich	habe gestoßen	ich	hätte gestoßen
du	hast gestoßen	du	hättest gestoßen
er	hat gestoßen	er	hätte gestoßen
wir	haben gestoßen	wir	hätten gestoßen
ihr	habt gestoßen	ihr	hättet gestoßen
sie	haben gestoßen	sie	hätten gestoßen

IMPERATIVE: stoß(e)! stoßen wir! stoßt! stoßen Sie!

163 **streichen** [strong, *haben*]
to spread, to stroke

PRESENT PARTICIPLE
streichen**d**

PAST PARTICIPLE
gestrichen

PRESENT INDICATIVE
ich streich**e**
du streich**st**
er streich**t**
wir streich**en**
ihr streich**t**
sie streich**en**

IMPERFECT INDICATIVE
ich **strich**
du **strichst**
er **strich**
wir **strichen**
ihr **stricht**
sie **strichen**

FUTURE INDICATIVE
ich werde streichen
du wirst streichen
er wird streichen
wir werden streichen
ihr werdet streichen
sie werden streichen

PERFECT INDICATIVE
ich habe **gestrichen**
du hast **gestrichen**
er hat **gestrichen**
wir haben **gestrichen**
ihr habt **gestrichen**
sie haben **gestrichen**

PRESENT SUBJUNCTIVE
ich streich**e**
du streich**est**
er streich**e**
wir streich**en**
ihr streich**et**
sie streich**en**

IMPERFECT SUBJUNCTIVE
ich **striche**
du **strichest**
er **striche**
wir **strichen**
ihr **strichet**
sie **strichen**

CONDITIONAL
ich würde streichen
du würdest streichen
er würde streichen
wir würden streichen
ihr würdet streichen
sie würden streichen

PLUPERFECT SUBJUNCTIVE
ich hätte **gestrichen**
du hättest **gestrichen**
er hätte **gestrichen**
wir hätten **gestrichen**
ihr hättet **gestrichen**
sie hätten **gestrichen**

IMPERATIVE: streich(**e**)! streich**en wir**! streich**t**! streich**en Sie**!

to quarrel

PRESENT PARTICIPLE	*PAST PARTICIPLE*
streiten**d**	**gestritten**

PRESENT INDICATIVE		*PRESENT SUBJUNCTIVE*	
ich	streite	**ich**	streite
du	streit**est**	**du**	streit**est**
er	streit**et**	**er**	streite
wir	streit**en**	**wir**	streit**en**
ihr	streit**et**	**ihr**	streit**et**
sie	streit**en**	**sie**	streit**en**
IMPERFECT INDICATIVE		*IMPERFECT SUBJUNCTIVE*	
ich	**stritt**	**ich**	**stritte**
du	**stritt(e)st**	**du**	**strittest**
er	**stritt**	**er**	**stritte**
wir	**stritten**	**wir**	**stritten**
ihr	**strittet**	**ihr**	**strittet**
sie	**stritten**	**sie**	**stritten**
FUTURE INDICATIVE		*CONDITIONAL*	
ich	werde streiten	**ich**	würde streiten
du	wirst streiten	**du**	würdest streiten
er	wird streiten	**er**	würde streiten
wir	werden streiten	**wir**	würden streiten
ihr	werdet streiten	**ihr**	würdet streiten
sie	werden streiten	**sie**	würden streiten
PERFECT INDICATIVE		*PLUPERFECT SUBJUNCTIVE*	
ich	habe **gestritten**	**ich**	hätte **gestritten**
du	hast **gestritten**	**du**	hättest **gestritten**
er	hat **gestritten**	**er**	hätte **gestritten**
wir	haben **gestritten**	**wir**	hätten **gestritten**
ihr	habt **gestritten**	**ihr**	hättet **gestritten**
sie	haben **gestritten**	**sie**	hätten **gestritten**

IMPERATIVE: streit(**e**)! streit**en wir**! streit**et**! streit**en Sie**!

165 **studieren** [weak, *haben*]

to study

PRESENT PARTICIPLE	*PAST PARTICIPLE*
studierend	studiert

PRESENT INDICATIVE	*PRESENT SUBJUNCTIVE*
ich studiere	**ich** studiere
du studierst	**du** studierest
er studiert	**er** studiere
wir studieren	**wir** studieren
ihr studiert	**ihr** studieret
sie studieren	**sie** studieren
IMPERFECT INDICATIVE	*IMPERFECT SUBJUNCTIVE*
ich studierte	**ich** studierte
du studiertest	**du** studiertest
er studierte	**er** studierte
wir studierten	**wir** studierten
ihr studiertet	**ihr** studiertet
sie studierten	**sie** studierten
FUTURE INDICATIVE	*CONDITIONAL*
ich werde studieren	**ich** würde studieren
du wirst studieren	**du** würdest studieren
er wird studieren	**er** würde studieren
wir werden studieren	**wir** würden studieren
ihr werdet studieren	**ihr** würdet studieren
sie werden studieren	**sie** würden studieren
PERFECT INDICATIVE	*PLUPERFECT SUBJUNCTIVE*
ich habe studiert	**ich** hätte studiert
du hast studiert	**du** hättest studiert
er hat studiert	**er** hätte studiert
wir haben studiert	**wir** hätten studiert
ihr habt studiert	**ihr** hättet studiert
sie haben studiert	**sie** hätten studiert

IMPERATIVE: studiere! studieren **wir**! studiert! studieren **Sie**!

to wear, to carry

PRESENT PARTICIPLE	*PAST PARTICIPLE*
tragend	**getragen**

PRESENT INDICATIVE		*PRESENT SUBJUNCTIVE*	
ich	trage	**ich**	trage
du	trägst	**du**	tragest
er	trägt	**er**	trage
wir	tragen	**wir**	tragen
ihr	tragt	**ihr**	traget
sie	tragen	**sie**	tragen
IMPERFECT INDICATIVE		*IMPERFECT SUBJUNCTIVE*	
ich	**trug**	**ich**	**trüge**
du	**trugst**	**du**	**trügest**
er	**trug**	**er**	**trüge**
wir	**trugen**	**wir**	**trügen**
ihr	**trugt**	**ihr**	**trüget**
sie	**trugen**	**sie**	**trügen**
FUTURE INDICATIVE		*CONDITIONAL*	
ich	werde tragen	**ich**	würde tragen
du	wirst tragen	**du**	würdest tragen
er	wird tragen	**er**	würde tragen
wir	werden tragen	**wir**	würden tragen
ihr	werdet tragen	**ihr**	würdet tragen
sie	werden tragen	**sie**	würden tragen
PERFECT INDICATIVE		*PLUPERFECT SUBJUNCTIVE*	
ich	habe **getragen**	**ich**	hätte **getragen**
du	hast **getragen**	**du**	hättest **getragen**
er	hat **getragen**	**er**	hätte **getragen**
wir	haben **getragen**	**wir**	hätten **getragen**
ihr	habt **getragen**	**ihr**	hättet **getragen**
sie	haben **getragen**	**sie**	hätten **getragen**

IMPERATIVE: trag(e)! tragen **wir**! tragt! tragen **Sie**!

167 **treffen** [strong, *haben*]

to meet

PRESENT PARTICIPLE	*PAST PARTICIPLE*
treff**end**	**getroffen**

PRESENT INDICATIVE		*PRESENT SUBJUNCTIVE*	
ich	treff**e**	**ich**	treff**e**
du	**triffst**	**du**	treff**est**
er	**trifft**	**er**	treff**e**
wir	treff**en**	**wir**	treff**en**
ihr	treff**t**	**ihr**	treff**et**
sie	treff**en**	**sie**	treff**en**
IMPERFECT INDICATIVE		*IMPERFECT SUBJUNCTIVE*	
ich	**traf**	**ich**	**träfe**
du	**trafst**	**du**	**träfest**
er	**traf**	**er**	**träfe**
wir	**trafen**	**wir**	**träfen**
ihr	**traft**	**ihr**	**träfet**
sie	**trafen**	**sie**	**träfen**
FUTURE INDICATIVE		*CONDITIONAL*	
ich	werde treffen	**ich**	würde treffen
du	wirst treffen	**du**	würdest treffen
er	wird treffen	**er**	würde treffen
wir	werden treffen	**wir**	würden treffen
ihr	werdet treffen	**ihr**	würdet treffen
sie	werden treffen	**sie**	würden treffen
PERFECT INDICATIVE		*PLUPERFECT SUBJUNCTIVE*	
ich	habe **getroffen**	**ich**	hätte **getroffen**
du	hast **getroffen**	**du**	hättest **getroffen**
er	hat **getroffen**	**er**	hätte **getroffen**
wir	haben **getroffen**	**wir**	hätten **getroffen**
ihr	habt **getroffen**	**ihr**	hättet **getroffen**
sie	haben **getroffen**	**sie**	hätten **getroffen**

IMPERATIVE: **triff**! treff**en wir**! treff**t**! treff**en Sie**!

to drive

PRESENT PARTICIPLE	*PAST PARTICIPLE*
treiben**d**	**getrieben**

PRESENT INDICATIVE	*PRESENT SUBJUNCTIVE*
ich treib**e**	**ich** treib**e**
du treib**st**	**du** treib**est**
er treib**t**	**er** treib**e**
wir treib**en**	**wir** treib**en**
ihr treib**t**	**ihr** treib**et**
sie treib**en**	**sie** treib**en**
IMPERFECT INDICATIVE	*IMPERFECT SUBJUNCTIVE*
ich trieb	**ich triebe**
du triebst	**du triebest**
er trieb	**er triebe**
wir trieben	**wir trieben**
ihr triebt	**ihr triebet**
sie trieben	**sie trieben**
FUTURE INDICATIVE	*CONDITIONAL*
ich werde treiben	**ich** würde treiben
du wirst treiben	**du** würdest treiben
er wird treiben	**er** würde treiben
wir werden treiben	**wir** würden treiben
ihr werdet treiben	**ihr** würdet treiben
sie werden treiben	**sie** würden treiben
PERFECT INDICATIVE	*PLUPERFECT SUBJUNCTIVE*
ich habe **getrieben**	**ich** hätte **getrieben**
du hast **getrieben**	**du** hättest **getrieben**
er hat **getrieben**	**er** hätte **getrieben**
wir haben **getrieben**	**wir** hätten **getrieben**
ihr habt **getrieben**	**ihr** hättet **getrieben**
sie haben **getrieben**	**sie** hätten **getrieben**

IMPERATIVE: treib(**e**)! treib**en wir**! treib**t**! treib**en Sie**!

169 **treten** [strong, *haben/sein*]

to kick/to step (*transitive/intransitive*)

PRESENT PARTICIPLE	*PAST PARTICIPLE*
tretend	**getreten**

PRESENT INDICATIVE

ich	trete
du	trittst
er	tritt
wir	treten
ihr	tretet
sie	treten

IMPERFECT INDICATIVE

ich	**trat**
du	**trat(e)st**
er	**trat**
wir	**traten**
ihr	**tratet**
sie	**traten**

FUTURE INDICATIVE

ich	werde treten
du	wirst treten
er	wird treten
wir	werden treten
ihr	werdet treten
sie	werden treten

PERFECT INDICATIVE

ich	habe **getreten***
du	hast **getreten**
er	hat **getreten**
wir	haben **getreten**
ihr	habt **getreten**
sie	haben **getreten**

PRESENT SUBJUNCTIVE

ich	trete
du	tretest
er	trete
wir	treten
ihr	tretet
sie	treten

IMPERFECT SUBJUNCTIVE

ich	**träte**
du	**trätest**
er	**träte**
wir	**träten**
ihr	**trätet**
sie	**träten**

CONDITIONAL

ich	würde treten
du	würdest treten
er	würde treten
wir	würden treten
ihr	würdet treten
sie	würden treten

PLUPERFECT SUBJUNCTIVE

ich	hätte **getreten***
du	hättest **getreten**
er	hätte **getreten**
wir	hätten **getreten**
ihr	hättet **getreten**
sie	hätten **getreten**

IMPERATIVE: **tritt**! treten **wir**! tretet! treten **Sie**!
OR*: **ich bin/wäre **getreten** *etc* (*when intransitive*).

to drink

PRESENT PARTICIPLE	*PAST PARTICIPLE*
trinken**d**	**getrunken**

PRESENT INDICATIVE	*PRESENT SUBJUNCTIVE*
ich trink**e**	**ich** trink**e**
du trink**st**	**du** trink**est**
er trink**t**	**er** trink**e**
wir trink**en**	**wir** trink**en**
ihr trink**t**	**ihr** trink**et**
sie trink**en**	**sie** trink**en**
IMPERFECT INDICATIVE	*IMPERFECT SUBJUNCTIVE*
ich **trank**	**ich** **tränke**
du **trankst**	**du** **tränkest**
er **trank**	**er** **tränke**
wir **tranken**	**wir** **tränken**
ihr **trankt**	**ihr** **tränket**
sie **tranken**	**sie** **tränken**
FUTURE INDICATIVE	*CONDITIONAL*
ich werde trinken	**ich** würde trinken
du wirst trinken	**du** würdest trinken
er wird trinken	**er** würde trinken
wir werden trinken	**wir** würden trinken
ihr werdet trinken	**ihr** würdet trinken
sie werden trinken	**sie** würden trinken
PERFECT INDICATIVE	*PLUPERFECT SUBJUNCTIVE*
ich habe **getrunken**	**ich** hätte **getrunken**
du hast **getrunken**	**du** hättest **getrunken**
er hat **getrunken**	**er** hätte **getrunken**
wir haben **getrunken**	**wir** hätten **getrunken**
ihr habt **getrunken**	**ihr** hättet **getrunken**
sie haben **getrunken**	**sie** hätten **getrunken**

IMPERATIVE: trink(**e**)! trink**en wir**! trink**t**! trink**en Sie**!

171 **trügen** [strong, *haben*]

to deceive

PRESENT PARTICIPLE	*PAST PARTICIPLE*
trügend	**getrogen**

PRESENT INDICATIVE		*PRESENT SUBJUNCTIVE*	
ich	trüge	**ich**	trüge
du	trügst	**du**	trügest
er	trügt	**er**	trüge
wir	trügen	**wir**	trügen
ihr	trügt	**ihr**	trüget
sie	trügen	**sie**	trügen
IMPERFECT INDICATIVE		*IMPERFECT SUBJUNCTIVE*	
ich	**trog**	**ich**	**tröge**
du	**trogst**	**du**	**trögest**
er	**trog**	**er**	**tröge**
wir	**trogen**	**wir**	**trögen**
ihr	**trogt**	**ihr**	**tröget**
sie	**trogen**	**sie**	**trögen**
FUTURE INDICATIVE		*CONDITIONAL*	
ich	werde trügen	**ich**	würde trügen
du	wirst trügen	**du**	würdest trügen
er	wird trügen	**er**	würde trügen
wir	werden trügen	**wir**	würden trügen
ihr	werdet trügen	**ihr**	würdet trügen
sie	werden trügen	**sie**	würden trügen
PERFECT INDICATIVE		*PLUPERFECT SUBJUNCTIVE*	
ich	habe **getrogen**	**ich**	hätte **getrogen**
du	hast **getrogen**	**du**	hättest **getrogen**
er	hat **getrogen**	**er**	hätte **getrogen**
wir	haben **getrogen**	**wir**	hätten **getrogen**
ihr	habt **getrogen**	**ihr**	hättet **getrogen**
sie	haben **getrogen**	**sie**	hätten **getrogen**

IMPERATIVE: trüg(e)! trügen **wir**! trügt! trügen **Sie**!

to do

PRESENT PARTICIPLE	*PAST PARTICIPLE*
tuend	**getan**

PRESENT INDICATIVE		*PRESENT SUBJUNCTIVE*	
ich	tue	**ich**	tue
du	tust	**du**	tuest
er	tut	**er**	tue
wir	tun	**wir**	tuen
ihr	tut	**ihr**	tuet
sie	tun	**sie**	tuen
IMPERFECT INDICATIVE		*IMPERFECT SUBJUNCTIVE*	
ich	**tat**	**ich**	**täte**
du	**tat(e)st**	**du**	**tätest**
er	**tat**	**er**	**täte**
wir	**taten**	**wir**	**täten**
ihr	**tatet**	**ihr**	**tätet**
sie	**taten**	**sie**	**täten**
FUTURE INDICATIVE		*CONDITIONAL*	
ich	werde tun	**ich**	würde tun
du	wirst tun	**du**	würdest tun
er	wird tun	**er**	würde tun
wir	werden tun	**wir**	würden tun
ihr	werdet tun	**ihr**	würdet tun
sie	werden tun	**sie**	würden tun
PERFECT INDICATIVE		*PLUPERFECT SUBJUNCTIVE*	
ich	habe **getan**	**ich**	hätte **getan**
du	hast **getan**	**du**	hättest **getan**
er	hat **getan**	**er**	hätte **getan**
wir	haben **getan**	**wir**	hätten **getan**
ihr	habt **getan**	**ihr**	hättet **getan**
sie	haben **getan**	**sie**	hätten **getan**

IMPERATIVE: tu(e)! tun **wir**! tut! tun **Sie**!

173 **sich überlegen** [weak, inseparable, reflexive, *haben*] to consider

PRESENT PARTICIPLE	*PAST PARTICIPLE*
überlege**nd**	überleg**t**

PRESENT INDICATIVE

ich	überleg**e mir**
du	überleg**st dir**
er	überleg**t sich**
wir	überleg**en uns**
ihr	überleg**t euch**
sie	überleg**en sich**

IMPERFECT INDICATIVE

ich	überleg**te mir**
du	überleg**test dir**
er	überleg**te sich**
wir	überleg**ten uns**
ihr	überleg**tet euch**
sie	überleg**ten sich**

FUTURE INDICATIVE

ich	werde **mir** überlegen
du	wirst **dir** überlegen
er	wird **sich** überlegen
wir	werden **uns** überlegen
ihr	werdet **euch** überlegen
sie	werden **sich** überlegen

PERFECT INDICATIVE

ich	habe **mir** überlegt
du	hast **dir** überlegt
er	hat **sich** überlegt
wir	haben **uns** überlegt
ihr	habt **euch** überlegt
sie	haben **sich** überlegt

PRESENT SUBJUNCTIVE

ich	überleg**e mir**
du	überleg**est dir**
er	überleg**e sich**
wir	überleg**en uns**
ihr	überleg**et euch**
sie	überleg**en sich**

IMPERFECT SUBJUNCTIVE

ich	überleg**te mir**
du	überleg**test dir**
er	überleg**te sich**
wir	überleg**ten uns**
ihr	überleg**tet euch**
sie	überleg**ten sich**

CONDITIONAL

ich	würde **mir** überlegen
du	würdest **dir** überlegen
er	würde **sich** überlegen
wir	würden **uns** überlegen
ihr	würdet **euch** überlegen
sie	würden **sich** überlegen

PLUPERFECT SUBJUNCTIVE

ich	hätte **mir** überlegt
du	hättest **dir** überlegt
er	hätte **sich** überlegt
wir	hätten **uns** überlegt
ihr	hättet **euch** überlegt
sie	hätten **sich** überlegt

IMPERATIVE: überleg(**e**) **dir**! überleg**en wir uns**! überleg**t euch**! überleg**en Sie sich**!

to spoil/become spoiled (*transitive/intransitive*)

PRESENT PARTICIPLE	*PAST PARTICIPLE*
verderb**end**	**verdorben**

PRESENT INDICATIVE		*PRESENT SUBJUNCTIVE*	
ich	verderbe	**ich**	verderbe
du	**verdirbst**	**du**	verderb**est**
er	**verdirbt**	**er**	verderbe
wir	verderb**en**	**wir**	verderb**en**
ihr	verderb**t**	**ihr**	verderb**et**
sie	verderb**en**	**sie**	verderb**en**

IMPERFECT INDICATIVE		*IMPERFECT SUBJUNCTIVE*	
ich	**verdarb**	**ich**	**verdürbe**
du	**verdarbst**	**du**	**verdürbest**
er	**verdarb**	**er**	**verdürbe**
wir	**verdarben**	**wir**	**verdürben**
ihr	**verdarbt**	**ihr**	**verdürbet**
sie	**verdarben**	**sie**	**verdürben**

FUTURE INDICATIVE		*CONDITIONAL*	
ich	werde verderben	**ich**	würde verderben
du	wirst verderben	**du**	würdest verderben
er	wird verderben	**er**	würde verderben
wir	werden verderben	**wir**	würden verderben
ihr	werdet verderben	**ihr**	würdet verderben
sie	werden verderben	**sie**	würden verderben

PERFECT INDICATIVE		*PLUPERFECT SUBJUNCTIVE*	
ich	habe **verdorben***	**ich**	hätte **verdorben***
du	hast **verdorben**	**du**	hättest **verdorben**
er	hat **verdorben**	**er**	hätte **verdorben**
wir	haben **verdorben**	**wir**	hätten **verdorben**
ihr	habt **verdorben**	**ihr**	hättet **verdorben**
sie	haben **verdorben**	**sie**	hätten **verdorben**

IMPERATIVE: **verdirb**! verderb**en wir**! verderb**t**! verderb**en Sie**!
OR*: **ich bin/wäre **verdorben** *etc* (*when intransitive*).

175 **verdrießen** [strong, inseparable, *haben*]

to vex

PRESENT PARTICIPLE	*PAST PARTICIPLE*
verdrießend	**verdrossen**

PRESENT INDICATIVE		*PRESENT SUBJUNCTIVE*	
ich	verdrieße	**ich**	verdrieße
du	verdrießt	**du**	verdrießest
er	verdrießt	**er**	verdrieße
wir	verdrießen	**wir**	verdrießen
ihr	verdrießt	**ihr**	verdrießet
sie	verdrießen	**sie**	verdrießen
IMPERFECT INDICATIVE		*IMPERFECT SUBJUNCTIVE*	
ich	**verdroß**	**ich**	**verdrösse**
du	**verdrossest**	**du**	**verdrössest**
er	**verdroß**	**er**	**verdrösse**
wir	**verdrossen**	**wir**	**verdrössen**
ihr	**verdroßt**	**ihr**	**verdrösset**
sie	**verdrossen**	**sie**	**verdrössen**
FUTURE INDICATIVE		*CONDITIONAL*	
ich	werde verdrießen	**ich**	würde verdrießen
du	wirst verdrießen	**du**	würdest verdrießen
er	wird verdrießen	**er**	würde verdrießen
wir	werden verdrießen	**wir**	würden verdrießen
ihr	werdet verdrießen	**ihr**	würdet verdrießen
sie	werden verdrießen	**sie**	würden verdrießen
PERFECT INDICATIVE		*PLUPERFECT SUBJUNCTIVE*	
ich	habe **verdrossen**	**ich**	hätte **verdrossen**
du	hast **verdrossen**	**du**	hättest **verdrossen**
er	hat **verdrossen**	**er**	hätte **verdrossen**
wir	haben **verdrossen**	**wir**	hätten **verdrossen**
ihr	habt **verdrossen**	**ihr**	hättet **verdrossen**
sie	haben **verdrossen**	**sie**	hätten **verdrossen**

IMPERATIVE: verdrieß(**e**)! verdrieß**en** **wir**! verdrieß**t**! verdrieß**en** **Sie**!

PRESENT PARTICIPLE	*PAST PARTICIPLE*
vergessen**d**	**vergessen**

PRESENT INDICATIVE		*PRESENT SUBJUNCTIVE*	
ich	vergesse	**ich**	vergesse
du	**vergißt**	**du**	vergess**est**
er	**vergißt**	**er**	vergesse
wir	vergessen	**wir**	vergessen
ihr	vergeßt	**ihr**	vergess**et**
sie	vergessen	**sie**	vergessen
IMPERFECT INDICATIVE		*IMPERFECT SUBJUNCTIVE*	
ich	**vergaß**	**ich**	**vergäße**
du	**vergaßest**	**du**	**vergäßest**
er	**vergaß**	**er**	**vergäße**
wir	**vergaßen**	**wir**	**vergäßen**
ihr	**vergaßt**	**ihr**	**vergäßet**
sie	**vergaßen**	**sie**	**vergäßen**
FUTURE INDICATIVE		*CONDITIONAL*	
ich	werde vergessen	**ich**	würde vergessen
du	wirst vergessen	**du**	würdest vergessen
er	wird vergessen	**er**	würde vergessen
wir	werden vergessen	**wir**	würden vergessen
ihr	werdet vergessen	**ihr**	würdet vergessen
sie	werden vergessen	**sie**	würden vergessen
PERFECT INDICATIVE		*PLUPERFECT SUBJUNCTIVE*	
ich	habe **vergessen**	**ich**	hätte **vergessen**
du	hast **vergessen**	**du**	hättest **vergessen**
er	hat **vergessen**	**er**	hätte **vergessen**
wir	haben **vergessen**	**wir**	hätten **vergessen**
ihr	habt **vergessen**	**ihr**	hättet **vergessen**
sie	haben **vergessen**	**sie**	hätten **vergessen**

IMPERATIVE: **vergiß**! vergess**en wir**! verge**ßt**! vergess**en Sie**!

177 **verlangen** [weak, inseparable, *haben*]
to demand

PRESENT PARTICIPLE	*PAST PARTICIPLE*
verlangen**d**	verlang**t**

PRESENT INDICATIVE		*PRESENT SUBJUNCTIVE*	
ich	verlang**e**	**ich**	verlang**e**
du	verlang**st**	**du**	verlang**est**
er	verlang**t**	**er**	verlang**e**
wir	verlang**en**	**wir**	verlang**en**
ihr	verlang**t**	**ihr**	verlang**et**
sie	verlang**en**	**sie**	verlang**en**

IMPERFECT INDICATIVE		*IMPERFECT SUBJUNCTIVE*	
ich	verlang**te**	**ich**	verlang**te**
du	verlang**test**	**du**	verlang**test**
er	verlang**te**	**er**	verlang**te**
wir	verlang**ten**	**wir**	verlang**ten**
ihr	verlang**tet**	**ihr**	verlang**tet**
sie	verlang**ten**	**sie**	verlang**ten**

FUTURE INDICATIVE		*CONDITIONAL*	
ich	werde verlangen	**ich**	würde verlangen
du	wirst verlangen	**du**	würdest verlangen
er	wird verlangen	**er**	würde verlangen
wir	werden verlangen	**wir**	würden verlangen
ihr	werdet verlangen	**ihr**	würdet verlangen
sie	werden verlangen	**sie**	würden verlangen

PERFECT INDICATIVE		*PLUPERFECT SUBJUNCTIVE*	
ich	habe verlang**t**	**ich**	hätte verlang**t**
du	hast verlang**t**	**du**	hättest verlang**t**
er	hat verlang**t**	**er**	hätte verlang**t**
wir	haben verlang**t**	**wir**	hätten verlang**t**
ihr	habt verlang**t**	**ihr**	hättet verlang**t**
sie	haben verlang**t**	**sie**	hätten verlang**t**

IMPERATIVE: verlang(**e**)! verlang**en wir**! verlang**t**! verlang**en Sie**!

to lose

PRESENT PARTICIPLE	*PAST PARTICIPLE*
verlieren**d**	**verloren**

PRESENT INDICATIVE		*PRESENT SUBJUNCTIVE*	
ich	verliere**e**	**ich**	verlier**e**
du	verlier**st**	**du**	verlier**est**
er	verlier**t**	**er**	verlier**e**
wir	verlier**en**	**wir**	verlier**en**
ihr	verlier**t**	**ihr**	verlier**et**
sie	verlier**en**	**sie**	verlier**en**
IMPERFECT INDICATIVE		*IMPERFECT SUBJUNCTIVE*	
ich	**verlor**	**ich**	**verlöre**
du	**verlorst**	**du**	**verlörest**
er	**verlor**	**er**	**verlöre**
wir	**verloren**	**wir**	**verlören**
ihr	**verlort**	**ihr**	**verlöret**
sie	**verloren**	**sie**	**verlören**
FUTURE INDICATIVE		*CONDITIONAL*	
ich	werde verlieren	**ich**	würde verlieren
du	wirst verlieren	**du**	würdest verlieren
er	wird verlieren	**er**	würde verlieren
wir	werden verlieren	**wir**	würden verlieren
ihr	werdet verlieren	**ihr**	würdet verlieren
sie	werden verlieren	**sie**	würden verlieren
PERFECT INDICATIVE		*PLUPERFECT SUBJUNCTIVE*	
ich	habe **verloren**	**ich**	hätte **verloren**
du	hast **verloren**	**du**	hättest **verloren**
er	hat **verloren**	**er**	hätte **verloren**
wir	haben **verloren**	**wir**	hätten **verloren**
ihr	habt **verloren**	**ihr**	hättet **verloren**
sie	haben **verloren**	**sie**	hätten **verloren**

IMPERATIVE: verlier(**e**)! verlier**en wir**! verlier**t**! verlier**en Sie**!

179 **verschleißen** [strong, inseparable, *haben/sein*]

to wear out (*transitive/intransitive*)

PRESENT PARTICIPLE
verschleiß**end**

PAST PARTICIPLE
verschlissen

PRESENT INDICATIVE
ich verschleiß**e**
du verschleiß**t**
er verschleiß**t**
wir verschleiß**en**
ihr verschleiß**t**
sie verschleiß**en**

IMPERFECT INDICATIVE
ich **verschliß**
du **verschlißt**
er **verschliß**
wir **verschlissen**
ihr **verschlißt**
sie **verschlissen**

FUTURE INDICATIVE
ich werde verschleißen
du wirst verschleißen
er wird verschleißen
wir werden verschleißen
ihr werdet verschleißen
sie werden verschleißen

PERFECT INDICATIVE
ich habe **verschlissen***
du hast **verschlissen**
er hat **verschlissen**
wir haben **verschlissen**
ihr habt **verschlissen**
sie haben **verschlissen**

PRESENT SUBJUNCTIVE
ich verschleiß**e**
du verschleiß**est**
er verschleiß**e**
wir verschleiß**en**
ihr verschleiß**et**
sie verschleiß**en**

IMPERFECT SUBJUNCTIVE
ich **verschlisse**
du **verschlissest**
er **verschlisse**
wir **verschlissen**
ihr **verschlisset**
sie **verschlissen**

CONDITIONAL
ich würde verschleißen
du würdest verschleißen
er würde verschleißen
wir würden verschleißen
ihr würdet verschleißen
sie würden verschleißen

PLUPERFECT SUBJUNCTIVE
ich hätte **verschlissen***
du hättest **verschlissen**
er hätte **verschlissen**
wir hätten **verschlissen**
ihr hättet **verschlissen**
sie hätten **verschlissen**

IMPERATIVE: verschleiß(**e**)! verschleiß**en** **wir**! verschleiß**t**! verschleiß**en Sie**!
OR*: **ich bin/wäre **verschlissen** *etc* (*when intransitive*).

to disappear

PRESENT PARTICIPLE	*PAST PARTICIPLE*
verschwinden**d**	**verschwunden**

PRESENT INDICATIVE

ich	verschwind**e**
du	verschwind**est**
er	verschwind**et**
wir	verschwind**en**
ihr	verschwind**et**
sie	verschwind**en**

IMPERFECT INDICATIVE

ich	**verschwand**
du	**verschwand(e)st**
er	**verschwand**
wir	**verschwanden**
ihr	**verschwandet**
sie	**verschwanden**

FUTURE INDICATIVE

ich	werde verschwinden
du	wirst verschwinden
er	wird verschwinden
wir	werden verschwinden
ihr	werdet verschwinden
sie	werden verschwinden

PERFECT INDICATIVE

ich	bin **verschwunden**
du	bist **verschwunden**
er	ist **verschwunden**
wir	sind **verschwunden**
ihr	seid **verschwunden**
sie	sind **verschwunden**

PRESENT SUBJUNCTIVE

ich	verschwind**e**
du	verschwind**est**
er	verschwind**e**
wir	verschwind**en**
ihr	verschwind**et**
sie	verschwind**en**

IMPERFECT SUBJUNCTIVE

ich	**verschwände**
du	**verschwändest**
er	**verschwände**
wir	**verschwänden**
ihr	**verschwändet**
sie	**verschwänden**

CONDITIONAL

ich	würde verschwinden
du	würdest verschwinden
er	würde verschwinden
wir	würden verschwinden
ihr	würdet verschwinden
sie	würden verschwinden

PLUPERFECT SUBJUNCTIVE

ich	wäre **verschwunden**
du	wär(e)st **verschwunden**
er	wäre **verschwunden**
wir	wären **verschwunden**
ihr	wär(e)t **verschwunden**
sie	wären **verschwunden**

IMPERATIVE: verschwind(**e**)! verschwind**en wir**! verschwind**et**! verschwind**en Sie**!

181 **verzeihen** [strong, inseparable, *haben*]
to pardon

PRESENT PARTICIPLE	*PAST PARTICIPLE*
verzeihen**d**	**verziehen**

PRESENT INDICATIVE	*PRESENT SUBJUNCTIVE*
ich verzeihe	**ich** verzeihe
du verzeih**st**	**du** verzeih**est**
er verzeih**t**	**er** verzeihe
wir verzeih**en**	**wir** verzeih**en**
ihr verzeih**t**	**ihr** verzeih**et**
sie verzeih**en**	**sie** verzeih**en**
IMPERFECT INDICATIVE	*IMPERFECT SUBJUNCTIVE*
ich **verzieh**	**ich** **verziehe**
du **verziehst**	**du** **verziehest**
er **verzieh**	**er** **verziehe**
wir **verziehen**	**wir** **verziehen**
ihr **verzieht**	**ihr** **verziehet**
sie **verziehen**	**sie** **verziehen**
FUTURE INDICATIVE	*CONDITIONAL*
ich werde verzeihen	**ich** würde verzeihen
du wirst verzeihen	**du** würdest verzeihen
er wird verzeihen	**er** würde verzeihen
wir werden verzeihen	**wir** würden verzeihen
ihr werdet verzeihen	**ihr** würdet verzeihen
sie werden verzeihen	**sie** würden verzeihen
PERFECT INDICATIVE	*PLUPERFECT SUBJUNCTIVE*
ich habe **verziehen**	**ich** hätte **verziehen**
du hast **verziehen**	**du** hättest **verziehen**
er hat **verziehen**	**er** hätte **verziehen**
wir haben **verziehen**	**wir** hätten **verziehen**
ihr habt **verziehen**	**ihr** hättet **verziehen**
sie haben **verziehen**	**sie** hätten **verziehen**

IMPERATIVE: verzeih(**e**)! verzeih**en wir**! verzeih**t**! verzeih**en Sie**!

to grow

PRESENT PARTICIPLE	*PAST PARTICIPLE*
wachsen**d**	**gewachsen**

PRESENT INDICATIVE		*PRESENT SUBJUNCTIVE*	
ich	wachs**e**	**ich**	wachs**e**
du	**wächst**	**du**	wachs**est**
er	**wächst**	**er**	wachs**e**
wir	wachs**en**	**wir**	wachs**en**
ihr	wachs**t**	**ihr**	wachs**et**
sie	wachs**en**	**sie**	wachs**en**
IMPERFECT INDICATIVE		*IMPERFECT SUBJUNCTIVE*	
ich	**wuchs**	**ich**	**wüchse**
du	**wuchsest**	**du**	**wüchsest**
er	**wuchs**	**er**	**wüchse**
wir	**wuchsen**	**wir**	**wüchsen**
ihr	**wuchst**	**ihr**	**wüchset**
sie	**wuchsen**	**sie**	**wüchsen**
FUTURE INDICATIVE		*CONDITIONAL*	
ich	werde wachsen	**ich**	würde wachsen
du	wirst wachsen	**du**	würdest wachsen
er	wird wachsen	**er**	würde wachsen
wir	werden wachsen	**wir**	würden wachsen
ihr	werdet wachsen	**ihr**	würdet wachsen
sie	werden wachsen	**sie**	würden wachsen
PERFECT INDICATIVE		*PLUPERFECT SUBJUNCTIVE*	
ich	bin **gewachsen**	**ich**	wäre **gewachsen**
du	bist **gewachsen**	**du**	wär(e)st **gewachsen**
er	ist **gewachsen**	**er**	wäre **gewachsen**
wir	sind **gewachsen**	**wir**	wären **gewachsen**
ihr	seid **gewachsen**	**ihr**	wär(e)t **gewachsen**
sie	sind **gewachsen**	**sie**	wären **gewachsen**

IMPERATIVE: wachs(**e**)! wachs**en wir**! wachs**t**! wachs**en Sie**!

**Conjugated as a weak verb when the meaning is "to wax".*

183 **wägen** [strong, *haben*]

to ponder

PRESENT PARTICIPLE	*PAST PARTICIPLE*
wägen**d**	**gewogen**

PRESENT INDICATIVE		*PRESENT SUBJUNCTIVE*	
ich	wäg**e**	**ich**	wäg**e**
du	wäg**st**	**du**	wäg**est**
er	wäg**t**	**er**	wäg**e**
wir	wäg**en**	**wir**	wäg**en**
ihr	wäg**t**	**ihr**	wäg**et**
sie	wäg**en**	**sie**	wäg**en**
IMPERFECT INDICATIVE		*IMPERFECT SUBJUNCTIVE*	
ich	**wog**	**ich**	**wöge**
du	**wogst**	**du**	**wögest**
er	**wog**	**er**	**wöge**
wir	**wogen**	**wir**	**wögen**
ihr	**wogt**	**ihr**	**wöget**
sie	**wogen**	**sie**	**wögen**
FUTURE INDICATIVE		*CONDITIONAL*	
ich	werde wägen	**ich**	würde wägen
du	wirst wägen	**du**	würdest wägen
er	wird wägen	**er**	würde wägen
wir	werden wägen	**wir**	würden wägen
ihr	werdet wägen	**ihr**	würdet wägen
sie	werden wägen	**sie**	würden wägen
PERFECT INDICATIVE		*PLUPERFECT SUBJUNCTIVE*	
ich	habe **gewogen**	**ich**	hätte **gewogen**
du	hast **gewogen**	**du**	hättest **gewogen**
er	hat **gewogen**	**er**	hätte **gewogen**
wir	haben **gewogen**	**wir**	hätten **gewogen**
ihr	habt **gewogen**	**ihr**	hättet **gewogen**
sie	haben **gewogen**	**sie**	hätten **gewogen**

IMPERATIVE: wäg(**e**)! wäg**en wir**! wäg**t**! wäg**en Sie**!

[weak, *sein*] **wandern** 184
to roam

PRESENT PARTICIPLE
wander**nd**

PAST PARTICIPLE
gewander**t**

PRESENT INDICATIVE
ich wand(e)**re**
du wander**st**
er wander**t**
wir wander**n**
ihr wander**t**
sie wander**n**

PRESENT SUBJUNCTIVE
ich wand(e)**re**
du wandr**est**
er wand(e)**re**
wir wander**n**
ihr wander**t**
sie wander**n**

IMPERFECT INDICATIVE
ich wander**te**
du wander**test**
er wander**te**
wir wander**ten**
ihr wander**tet**
sie wander**ten**

IMPERFECT SUBJUNCTIVE
ich wander**te**
du wander**test**
er wander**te**
wir wander**ten**
ihr wander**tet**
sie wander**ten**

FUTURE INDICATIVE
ich werde wandern
du wirst wandern
er wird wandern
wir werden wandern
ihr werdet wandern
sie werden wandern

CONDITIONAL
ich würde wandern
du würdest wandern
er würde wandern
wir würden wandern
ihr würdet wandern
sie würden wandern

PERFECT INDICATIVE
ich bin **ge**wander**t**
du bist **ge**wander**t**
er ist **ge**wander**t**
wir sind **ge**wander**t**
ihr seid **ge**wander**t**
sie sind **ge**wander**t**

PLUPERFECT SUBJUNCTIVE
ich wäre **ge**wander**t**
du wär(e)st **ge**wander**t**
er wäre **ge**wander**t**
wir wären **ge**wander**t**
ihr wär(e)t **ge**wander**t**
sie wären **ge**wander**t**

IMPERATIVE: wandr**e**! wander**n** **wir**! wander**t**! wander**n** **Sie**!

185 **waschen** [strong, *haben*]
to wash

PRESENT PARTICIPLE	*PAST PARTICIPLE*
waschen**d**	**gewaschen**

PRESENT INDICATIVE	*PRESENT SUBJUNCTIVE*
ich wasch**e**	**ich** wasch**e**
du **wäschst**	**du** wasch**est**
er **wäscht**	**er** wasch**e**
wir wasch**en**	**wir** wasch**en**
ihr wasch**t**	**ihr** wasch**et**
sie wasch**en**	**sie** wasch**en**
IMPERFECT INDICATIVE	*IMPERFECT SUBJUNCTIVE*
ich **wusch**	**ich** **wüsche**
du **wuschest**	**du** **wüschest**
er **wusch**	**er** **wüsche**
wir **wuschen**	**wir** **wüschen**
ihr **wuscht**	**ihr** **wüschet**
sie **wuschen**	**sie** **wüschen**
FUTURE INDICATIVE	*CONDITIONAL*
ich werde waschen	**ich** würde waschen
du wirst waschen	**du** würdest waschen
er wird waschen	**er** würde waschen
wir werden waschen	**wir** würden waschen
ihr werdet waschen	**ihr** würdet waschen
sie werden waschen	**sie** würden waschen
PERFECT INDICATIVE	*PLUPERFECT SUBJUNCTIVE*
ich habe **gewaschen**	**ich** hätte **gewaschen**
du hast **gewaschen**	**du** hättest **gewaschen**
er hat **gewaschen**	**er** hätte **gewaschen**
wir haben **gewaschen**	**wir** hätten **gewaschen**
ihr habt **gewaschen**	**ihr** hättet **gewaschen**
sie haben **gewaschen**	**sie** hätten **gewaschen**

IMPERATIVE: wasch(**e**)! wasch**en wir**! wasch**t**! wasch**en Sie!**

to weave

PRESENT PARTICIPLE	*PAST PARTICIPLE*
webe**nd**	**gewoben**

PRESENT INDICATIVE		*PRESENT SUBJUNCTIVE*	
ich	web**e**	**ich**	web**e**
du	web**st**	**du**	web**est**
er	web**t**	**er**	web**e**
wir	web**en**	**wir**	web**en**
ihr	web**t**	**ihr**	web**et**
sie	web**en**	**sie**	web**en**
IMPERFECT INDICATIVE		*IMPERFECT SUBJUNCTIVE*	
ich	**wob**	**ich**	**wöbe**
du	**wob(e)st**	**du**	**wöbest**
er	**wob**	**er**	**wöbe**
wir	**woben**	**wir**	**wöben**
ihr	**wobt**	**ihr**	**wöbet**
sie	**woben**	**sie**	**wöben**
FUTURE INDICATIVE		*CONDITIONAL*	
ich	werde weben	**ich**	würde weben
du	wirst weben	**du**	würdest weben
er	wird weben	**er**	würde weben
wir	werden weben	**wir**	würden weben
ihr	werdet weben	**ihr**	würdet weben
sie	werden weben	**sie**	würden weben
PERFECT INDICATIVE		*PLUPERFECT SUBJUNCTIVE*	
ich	habe **gewoben**	**ich**	hätte **gewoben**
du	hast **gewoben**	**du**	hättest **gewoben**
er	hat **gewoben**	**er**	hätte **gewoben**
wir	haben **gewoben**	**wir**	hätten **gewoben**
ihr	habt **gewoben**	**ihr**	hättet **gewoben**
sie	haben **gewoben**	**sie**	hätten **gewoben**

IMPERATIVE: web(**e**)! web**en wir**! web**t**! web**en Sie**!

* *This verb is more often weak:* web**te**, **ge**web**t**.

187 **weichen** [strong, *sein*]

to yield

PRESENT PARTICIPLE	*PAST PARTICIPLE*
weichend	**gewichen**

PRESENT INDICATIVE		*PRESENT SUBJUNCTIVE*	
ich	weiche	**ich**	weiche
du	weich**st**	**du**	weich**est**
er	weich**t**	**er**	weiche
wir	weich**en**	**wir**	weich**en**
ihr	weich**t**	**ihr**	weich**et**
sie	weich**en**	**sie**	weich**en**

IMPERFECT INDICATIVE		*IMPERFECT SUBJUNCTIVE*	
ich	**wich**	**ich**	**wiche**
du	**wichst**	**du**	**wichest**
er	**wich**	**er**	**wiche**
wir	**wichen**	**wir**	**wichen**
ihr	**wicht**	**ihr**	**wichet**
sie	**wichen**	**sie**	**wichen**

FUTURE INDICATIVE		*CONDITIONAL*	
ich	werde weichen	**ich**	würde weichen
du	wirst weichen	**du**	würdest weichen
er	wird weichen	**er**	würde weichen
wir	werden weichen	**wir**	würden weichen
ihr	werdet weichen	**ihr**	würdet weichen
sie	werden weichen	**sie**	würden weichen

PERFECT INDICATIVE		*PLUPERFECT SUBJUNCTIVE*	
ich	bin **gewichen**	**ich**	wäre **gewichen**
du	bist **gewichen**	**du**	wär(e)st **gewichen**
er	ist **gewichen**	**er**	wäre **gewichen**
wir	sind **gewichen**	**wir**	wären **gewichen**
ihr	seid **gewichen**	**ihr**	wär(e)t **gewichen**
sie	sind **gewichen**	**sie**	wären **gewichen**

IMPERATIVE: weich(**e**)! weich**en wir**! weich**t**! weich**en Sie**!

[strong, *haben*] **weisen** 188
to show

PRESENT PARTICIPLE
weisend

PAST PARTICIPLE
gewiesen

PRESENT INDICATIVE

ich	weise
du	weist
er	weist
wir	weisen
ihr	weist
sie	weisen

IMPERFECT INDICATIVE

ich	**wies**
du	**wiesest**
er	**wies**
wir	**wiesen**
ihr	**wiest**
sie	**wiesen**

FUTURE INDICATIVE

ich	werde weisen
du	wirst weisen
er	wird weisen
wir	werden weisen
ihr	werdet weisen
sie	werden weisen

PERFECT INDICATIVE

ich	habe **gewiesen**
du	hast **gewiesen**
er	hat **gewiesen**
wir	haben **gewiesen**
ihr	habt **gewiesen**
sie	haben **gewiesen**

PRESENT SUBJUNCTIVE

ich	weise
du	weisest
er	weise
wir	weisen
ihr	weiset
sie	weisen

IMPERFECT SUBJUNCTIVE

ich	**wiese**
du	**wiesest**
er	**wiese**
wir	**wiesen**
ihr	**wieset**
sie	**wiesen**

CONDITIONAL

ich	würde weisen
du	würdest weisen
er	würde weisen
wir	würden weisen
ihr	würdet weisen
sie	würden weisen

PLUPERFECT SUBJUNCTIVE

ich	hätte **gewiesen**
du	hättest **gewiesen**
er	hätte **gewiesen**
wir	hätten **gewiesen**
ihr	hättet **gewiesen**
sie	hätten **gewiesen**

IMRERATIVE: weis(e)! weisen **wir**! weist! weisen **Sie**!

189 **wenden*** [mixed, *haben*]

to turn

PRESENT PARTICIPLE	*PAST PARTICIPLE*
wendend	**gewandt**

PRESENT INDICATIVE		*PRESENT SUBJUNCTIVE*	
ich	wende	**ich**	wende
du	wend**est**	**du**	wend**est**
er	wend**et**	**er**	wend**e**
wir	wend**en**	**wir**	wend**en**
ihr	wend**et**	**ihr**	wend**et**
sie	wend**en**	**sie**	wend**en**
IMPERFECT INDICATIVE		*IMPERFECT SUBJUNCTIVE*	
ich	wandte	**ich**	wend**ete**
du	wandt**est**	**du**	wend**etest**
er	wandt**e**	**er**	wend**ete**
wir	wandt**en**	**wir**	wend**eten**
ihr	wandt**et**	**ihr**	wend**etet**
sie	wandt**en**	**sie**	wend**eten**
FUTURE INDICATIVE		*CONDITIONAL*	
ich	werde wenden	**ich**	würde wenden
du	wirst wenden	**du**	würdest wenden
er	wird wenden	**er**	würde wenden
wir	werden wenden	**wir**	würden wenden
ihr	werdet wenden	**ihr**	würdet wenden
sie	werden wenden	**sie**	würden wenden
PERFECT INDICATIVE		*PLUPERFECT SUBJUNCTIVE*	
ich	habe **gewandt**	**ich**	hätte **gewandt**
du	hast **gewandt**	**du**	hättest **gewandt**
er	hat **gewandt**	**er**	hätte **gewandt**
wir	haben **gewandt**	**wir**	hätten **gewandt**
ihr	habt **gewandt**	**ihr**	hättet **gewandt**
sie	haben **gewandt**	**sie**	hätten **gewandt**

IMPERATIVE: wend(**e**)! wend**en wir**! wend**et**! wend**en Sie**!
This verb is often weak:* wendete**, **ge**wend**et**.

to recruit, to advertise

PRESENT PARTICIPLE	*PAST PARTICIPLE*
werbend	geworben

PRESENT INDICATIVE		*PRESENT SUBJUNCTIVE*	
ich	werbe	ich	werbe
du	wirbst	du	werbest
er	wirbt	er	werbe
wir	werben	wir	werben
ihr	werbt	ihr	werbet
sie	werben	sie	werben
IMPERFECT INDICATIVE		*IMPERFECT SUBJUNCTIVE*	
ich	warb	ich	würbe
du	warbst	du	würbest
er	warb	er	würbe
wir	warben	wir	würben
ihr	warbt	ihr	würbet
sie	warben	sie	würben
FUTURE INDICATIVE		*CONDITIONAL*	
ich	werde werben	ich	würde werben
du	wirst werben	du	würdest werben
er	wird werben	er	würde werben
wir	werden werben	wir	würden werben
ihr	werdet werben	ihr	würdet werben
sie	werden werben	sie	würden werben
PERFECT INDICATIVE		*PLUPERFECT SUBJUNCTIVE*	
ich	habe geworben	ich	hätte geworben
du	hast geworben	du	hättest geworben
er	hat geworben	er	hätte geworben
wir	haben geworben	wir	hätten geworben
ihr	habt geworben	ihr	hättet geworben
sie	haben geworben	sie	hätten geworben

IMPERATIVE: **wirb**! werb**en wir**! werb**t**! werb**en Sie**!

191 **werden** [strong, *sein*]
to become

PRESENT PARTICIPLE	*PAST PARTICIPLE*
werde**nd**	**geworden/worden***

PRESENT INDICATIVE	*PRESENT SUBJUNCTIVE*
ich werde	**ich** werde
du **wirst**	**du** werd**est**
er **wird**	**er** werde
wir werd**en**	**wir** werd**en**
ihr werd**et**	**ihr** werd**et**
sie werd**en**	**sie** werd**en**
IMPERFECT INDICATIVE	*IMPERFECT SUBJUNCTIVE*
ich **wurde**	**ich** **würde**
du **wurdest**	**du** **würdest**
er **wurde**	**er** **würde**
wir **wurden**	**wir** **würden**
ihr **wurdet**	**ihr** **würdet**
sie **wurden**	**sie** **würden**
FUTURE INDICATIVE	*CONDITIONAL*
ich werde werden	**ich** würde werden
du wirst werden	**du** würdest werden
er wird werden	**er** würde werden
wir werden werden	**wir** würden werden
ihr werdet werden	**ihr** würdet werden
sie werden werden	**sie** würden werden
PERFECT INDICATIVE	*PLUPERFECT SUBJUNCTIVE*
ich bin **geworden/worden**	**ich** wäre **geworden/worden**
du bist **geworden/worden**	**du** wär(e)st **geworden/worden**
er ist **geworden/worden**	**er** wäre **geworden/worden**
wir sind **geworden/worden**	**wir** wären **geworden/worden**
ihr seid **geworden/worden**	**ihr** wär(e)t **geworden/worden**
sie sind **geworden/worden**	**sie** wären **geworden/worden**

IMPERATIVE: werd**e**! werd**en wir**! werd**et**! werd**en Sie**!

* *The second form is used in passive constructions.*

to throw

PRESENT PARTICIPLE	*PAST PARTICIPLE*
werfend	**geworfen**

PRESENT INDICATIVE		*PRESENT SUBJUNCTIVE*	
ich	werfe	**ich**	werfe
du	**wirfst**	**du**	werfest
er	**wirft**	**er**	werfe
wir	werfen	**wir**	werfen
ihr	werft	**ihr**	werfet
sie	werfen	**sie**	werfen

IMPERFECT INDICATIVE		*IMPERFECT SUBJUNCTIVE*	
ich	**warf**	**ich**	**würfe**
du	**warfst**	**du**	**würfest**
er	**warf**	**er**	**würfe**
wir	**warfen**	**wir**	**würfen**
ihr	**warft**	**ihr**	**würfet**
sie	**warfen**	**sie**	**würfen**

FUTURE INDICATIVE		*CONDITIONAL*	
ich	werde werfen	**ich**	würde werfen
du	wirst werfen	**du**	würdest werfen
er	wird werfen	**er**	würde werfen
wir	werden werfen	**wir**	würden werfen
ihr	werdet werfen	**ihr**	würdet werfen
sie	werden werfen	**sie**	würden werfen

PERFECT INDICATIVE		*PLUPERFECT SUBJUNCTIVE*	
ich	habe **geworfen**	**ich**	hätte **geworfen**
du	hast **geworfen**	**du**	hättest **geworfen**
er	hat **geworfen**	**er**	hätte **geworfen**
wir	haben **geworfen**	**wir**	hätten **geworfen**
ihr	habt **geworfen**	**ihr**	hättet **geworfen**
sie	haben **geworfen**	**sie**	hätten **geworfen**

IMPERATIVE: **wirf**! werf**en wir**! werft! werf**en Sie**!

193 **wiegen** [strong, *haben*]
to weigh

PRESENT PARTICIPLE
wiegen**d**

PAST PARTICIPLE
gewogen

PRESENT INDICATIVE

ich	wieg**e**
du	wieg**st**
er	wieg**t**
wir	wieg**en**
ihr	wieg**t**
sie	wieg**en**

PRESENT SUBJUNCTIVE

ich	wieg**e**
du	wieg**est**
er	wieg**e**
wir	wieg**en**
ihr	wieg**et**
sie	wieg**en**

IMPERFECT INDICATIVE

ich	**wog**
du	**wogst**
er	**wog**
wir	**wogen**
ihr	**wogt**
sie	**wogen**

IMPERFECT SUBJUNCTIVE

ich	**wöge**
du	**wögest**
er	**wöge**
wir	**wögen**
ihr	**wöget**
sie	**wögen**

FUTURE INDICATIVE

ich	werde wiegen
du	wirst wiegen
er	wird wiegen
wir	werden wiegen
ihr	werdet wiegen
sie	werden wiegen

CONDITIONAL

ich	würde wiegen
du	würdest wiegen
er	würde wiegen
wir	würden wiegen
ihr	würdet wiegen
sie	würden wiegen

PERFECT INDICATIVE

ich	habe **gewogen**
du	hast **gewogen**
er	hat **gewogen**
wir	haben **gewogen**
ihr	habt **gewogen**
sie	haben **gewogen**

PLUPERFECT SUBJUNCTIVE

ich	hätte **gewogen**
du	hättest **gewogen**
er	hätte **gewogen**
wir	hätten **gewogen**
ihr	hättet **gewogen**
sie	hätten **gewogen**

IMPERATIVE: wieg(**e**)! wieg**en wir**! wieg**t**! wieg**en Sie**!

to wind

PRESENT PARTICIPLE	*PAST PARTICIPLE*
winden**d**	**gewunden**

PRESENT INDICATIVE		*PRESENT SUBJUNCTIVE*	
ich	wind**e**	**ich**	wind**e**
du	wind**est**	**du**	wind**est**
er	wind**et**	**er**	wind**e**
wir	wind**en**	**wir**	wind**en**
ihr	wind**et**	**ihr**	wind**et**
sie	wind**en**	**sie**	wind**en**
IMPERFECT INDICATIVE		*IMPERFECT SUBJUNCTIVE*	
ich	**wand**	**ich**	**wände**
du	**wandest**	**du**	**wändest**
er	**wand**	**er**	**wände**
wir	**wanden**	**wir**	**wänden**
ihr	**wandet**	**ihr**	**wändet**
sie	**wanden**	**sie**	**wänden**
FUTURE INDICATIVE		*CONDITIONAL*	
ich	werde winden	**ich**	würde winden
du	wirst winden	**du**	würdest winden
er	wird winden	**er**	würde winden
wir	werden winden	**wir**	würden winden
ihr	werdet winden	**ihr**	würdet winden
sie	werden winden	**sie**	würden winden
PERFECT INDICATIVE		*PLUPERFECT SUBJUNCTIVE*	
ich	habe **gewunden**	**ich**	hätte **gewunden**
du	hast **gewunden**	**du**	hättest **gewunden**
er	hat **gewunden**	**er**	hätte **gewunden**
wir	haben **gewunden**	**wir**	hätten **gewunden**
ihr	habt **gewunden**	**ihr**	hättet **gewunden**
sie	haben **gewunden**	**sie**	hätten **gewunden**

IMPERATIVE: wind(**e**)! wind**en wir**! wind**et**! wind**en Sie**!

195 **wissen** [mixed, *haben*]

to know

PRESENT PARTICIPLE	*PAST PARTICIPLE*
wissen**d**	**gewußt**

PRESENT INDICATIVE		*PRESENT SUBJUNCTIVE*	
ich	**weiß**	**ich**	wiss**e**
du	**weißt**	**du**	wiss**est**
er	**weiß**	**er**	wiss**e**
wir	wiss**en**	**wir**	wiss**en**
ihr	wi**ßt**	**ihr**	wiss**et**
sie	wiss**en**	**sie**	wiss**en**

IMPERFECT INDICATIVE		*IMPERFECT SUBJUNCTIVE*	
ich	wu**ßte**	**ich**	**wüßte**
du	wu**ßtest**	**du**	**wüßtest**
er	wu**ßte**	**er**	**wüßte**
wir	wu**ßten**	**wir**	**wüßten**
ihr	wu**ßtet**	**ihr**	**wüßtet**
sie	wu**ßten**	**sie**	**wüßten**

FUTURE INDICATIVE		*CONDITIONAL*	
ich	werde wissen	**ich**	würde wissen
du	wirst wissen	**du**	würdest wissen
er	wird wissen	**er**	würde wissen
wir	werden wissen	**wir**	würden wissen
ihr	werdet wissen	**ihr**	würdet wissen
sie	werden wissen	**sie**	würden wissen

PERFECT INDICATIVE		*PLUPERFECT SUBJUNCTIVE*	
ich	habe **gewußt**	**ich**	hätte **gewußt**
du	hast **gewußt**	**du**	hättest **gewußt**
er	hat **gewußt**	**er**	hätte **gewußt**
wir	haben **gewußt**	**wir**	hätten **gewußt**
ihr	habt **gewußt**	**ihr**	hättet **gewußt**
sie	haben **gewußt**	**sie**	hätten **gewußt**

IMPERATIVE: wiss**e**! wiss**en wir**! wiss**et**! wiss**en Sie**!

PRESENT PARTICIPLE	*PAST PARTICIPLE*
wollend	gewollt/wollen*

PRESENT INDICATIVE		*PRESENT SUBJUNCTIVE*	
ich	will	ich	wolle
du	willst	du	wollest
er	will	er	wolle
wir	wollen	wir	wollen
ihr	wollt	ihr	wollet
sie	wollen	sie	wollen
IMPERFECT INDICATIVE		*IMPERFECT SUBJUNCTIVE*	
ich	wollte	ich	wollte
du	wolltest	du	wolltest
er	wollte	er	wollte
wir	wollten	wir	wollten
ihr	wolltet	ihr	wolltet
sie	wollten	sie	wollten
FUTURE INDICATIVE		*CONDITIONAL*	
ich	werde wollen	ich	würde wollen
du	wirst wollen	du	würdest wollen
er	wird wollen	er	würde wollen
wir	werden wollen	wir	würden wollen
ihr	werdet wollen	ihr	würdet wollen
sie	werden wollen	sie	würden wollen
PERFECT INDICATIVE		*PLUPERFECT SUBJUNCTIVE*	
ich	habe gewollt/wollen	ich	hätte gewollt/wollen
du	hast gewollt/wollen	du	hättest gewollt/wollen
er	hat gewollt/wollen	er	hätte gewollt/wollen
wir	haben gewollt/wollen	wir	hätten gewollt/wollen
ihr	habt gewollt/wollen	ihr	hättet gewollt/wollen
sie	haben gewollt/wollen	sie	hätten gewollt/wollen

IMPERATIVE: wolle! wollen wir! wollt! wollen Sie!

**The second form is used when combined with an infinitive.*

197 **wringen** [strong, *haben*]

to wring

PRESENT PARTICIPLE	*PAST PARTICIPLE*
wringen**d**	**gewrungen**

PRESENT INDICATIVE		*PRESENT SUBJUNCTIVE*	
ich	wring**e**	**ich**	wring**e**
du	wring**st**	**du**	wring**est**
er	wring**t**	**er**	wring**e**
wir	wring**en**	**wir**	wring**en**
ihr	wring**t**	**ihr**	wring**et**
sie	wring**en**	**sie**	wring**en**
IMPERFECT INDICATIVE		*IMPERFECT SUBJUNCTIVE*	
ich	**wrang**	**ich**	**wränge**
du	**wrangst**	**du**	**wrängest**
er	**wrang**	**er**	**wränge**
wir	**wrangen**	**wir**	**wrängen**
ihr	**wrangt**	**ihr**	**wränget**
sie	**wrangen**	**sie**	**wrängen**
FUTURE INDICATIVE		*CONDITIONAL*	
ich	werde wringen	**ich**	würde wringen
du	wirst wringen	**du**	würdest wringen
er	wird wringen	**er**	würde wringen
wir	werden wringen	**wir**	würden wringen
ihr	werdet wringen	**ihr**	würdet wringen
sie	werden wringen	**sie**	würden wringen
PERFECT INDICATIVE		*PLUPERFECT SUBJUNCTIVE*	
ich	habe **gewrungen**	**ich**	hätte **gewrungen**
du	hast **gewrungen**	**du**	hättest **gewrungen**
er	hat **gewrungen**	**er**	hätte **gewrungen**
wir	haben **gewrungen**	**wir**	hätten **gewrungen**
ihr	habt **gewrungen**	**ihr**	hättet **gewrungen**
sie	haben **gewrungen**	**sie**	hätten **gewrungen**

IMPERATIVE: wring(**e**)! wring**en wir**! wring**t**! wring**en Sie**!

zerstören
to destroy

PRESENT PARTICIPLE	*PAST PARTICIPLE*
zerstören**d**	zerstör**t**

PRESENT INDICATIVE		*PRESENT SUBJUNCTIVE*	
ich	zerstör**e**	**ich**	zerstör**e**
du	zerstör**st**	**du**	zerstör**est**
er	zerstör**t**	**er**	zerstör**e**
wir	zerstör**en**	**wir**	zerstör**en**
ihr	zerstör**t**	**ihr**	zerstör**et**
sie	zerstör**en**	**sie**	zerstör**en**
IMPERFECT INDICATIVE		*IMPERFECT SUBJUNCTIVE*	
ich	zerstör**te**	**ich**	zerstör**te**
du	zerstör**test**	**du**	zerstör**test**
er	zerstör**te**	**er**	zerstör**te**
wir	zerstör**ten**	**wir**	zerstör**ten**
ihr	zerstör**tet**	**ihr**	zerstör**tet**
sie	zerstör**ten**	**sie**	zerstör**ten**
FUTURE INDICATIVE		*CONDITIONAL*	
ich	werde zerstören	**ich**	würde zerstören
du	wirst zerstören	**du**	würdest zerstören
er	wird zerstören	**er**	würde zerstören
wir	werden zerstören	**wir**	würden zerstören
ihr	werdet zerstören	**ihr**	würdet zerstören
sie	werden zerstören	**sie**	würden zerstören
PERFECT INDICATIVE		*PLUPERFECT SUBJUNCTIVE*	
ich	habe zerstör**t**	**ich**	hätte zerstör**t**
du	hast zerstör**t**	**du**	hättest zerstör**t**
er	hat zerstör**t**	**er**	hätte zerstör**t**
wir	haben zerstör**t**	**wir**	hätten zerstör**t**
ihr	habt zerstör**t**	**ihr**	hättet zerstör**t**
sie	haben zerstör**t**	**sie**	hätten zerstör**t**

IMPERATIVE: zerstör(**e**)! zerstör**en wir**! zerstör**t**! zerstör**en Sie**!

199 **ziehen** [strong, *sein/haben*]

to go/to pull

PRESENT PARTICIPLE	*PAST PARTICIPLE*
ziehend	**gezogen**

PRESENT INDICATIVE		*PRESENT SUBJUNCTIVE*	
ich	ziehe	**ich**	ziehe
du	ziehst	**du**	ziehest
er	zieht	**er**	ziehe
wir	ziehen	**wir**	ziehen
ihr	zieht	**ihr**	ziehet
sie	ziehen	**sie**	ziehen

IMPERFECT INDICATIVE		*IMPERFECT SUBJUNCTIVE*	
ich	**zog**	**ich**	**zöge**
du	**zogst**	**du**	**zögest**
er	**zog**	**er**	**zöge**
wir	**zogen**	**wir**	**zögen**
ihr	**zogt**	**ihr**	**zöget**
sie	**zogen**	**sie**	**zögen**

FUTURE INDICATIVE		*CONDITIONAL*	
ich	werde ziehen	**ich**	würde ziehen
du	wirst ziehen	**du**	würdest ziehen
er	wird ziehen	**er**	würde ziehen
wir	werden ziehen	**wir**	würden ziehen
ihr	werdet ziehen	**ihr**	würdet ziehen
sie	werden ziehen	**sie**	würden ziehen

PERFECT INDICATIVE		*PLUPERFECT SUBJUNCTIVE*	
ich	bin/habe **gezogen**	**ich**	wäre/hätte **gezogen**
du	bist/hast **gezogen**	**du**	wär(e)st/hättest **gezogen**
er	ist/hat **gezogen**	**er**	wäre/hätte **gezogen**
wir	sind/haben **gezogen**	**wir**	wären/hätten **gezogen**
ihr	seid/habt **gezogen**	**ihr**	wär(e)t/hättet **gezogen**
sie	sind/haben **gezogen**	**sie**	wären/hätten **gezogen**

IMPERATIVE: zieh(**e**)! ziehen **wir**! zieht! ziehen **Sie**!

to force

PRESENT PARTICIPLE	*PAST PARTICIPLE*
zwingend	**gezwungen**

PRESENT INDICATIVE		*PRESENT SUBJUNCTIVE*	
ich	zwinge	**ich**	zwinge
du	zwingst	**du**	zwingest
er	zwingt	**er**	zwinge
wir	zwingen	**wir**	zwingen
ihr	zwingt	**ihr**	zwinget
sie	zwingen	**sie**	zwingen
IMPERFECT INDICATIVE		*IMPERFECT SUBJUNCTIVE*	
ich	**zwang**	**ich**	**zwänge**
du	**zwangst**	**du**	**zwängest**
er	**zwang**	**er**	**zwänge**
wir	**zwangen**	**wir**	**zwängen**
ihr	**zwangt**	**ihr**	**zwänget**
sie	**zwangen**	**sie**	**zwängen**
FUTURE INDICATIVE		*CONDITIONAL*	
ich	werde zwingen	**ich**	würde zwingen
du	wirst zwingen	**du**	würdest zwingen
er	wird zwingen	**er**	würde zwingen
wir	werden zwingen	**wir**	würden zwingen
ihr	werdet zwingen	**ihr**	würdet zwingen
sie	werden zwingen	**sie**	würden zwingen
PERFECT INDICATIVE		*PLUPERFECT SUBJUNCTIVE*	
ich	habe **gezwungen**	**ich**	hätte **gezwungen**
du	hast **gezwungen**	**du**	hättest **gezwungen**
er	hat **gezwungen**	**er**	hätte **gezwungen**
wir	haben **gezwungen**	**wir**	hätten **gezwungen**
ihr	habt **gezwungen**	**ihr**	hättet **gezwungen**
sie	haben **gezwungen**	**sie**	hätten **gezwungen**

IMPERATIVE: zwing(**e**)! zwingen **wir**! zwingt! zwingen **Sie**!

REFERENCE LIST

All the most used verbs of German are given here with their salient features to show you how to conjugate them. The number accompanying each verb refers you to a verb pattern in the 200 verb tables. Verbs which are themselves featured in the tables appear in colour.

Also included are irregular past participles and other verb parts, cross-referred to their infinitive.

Abbreviations

wk	weak verb; see pages 4 and 5
st	strong verb; see pages 4 and 9
mi	mixed verb; see pages 4 and 11
mo	modal verb; see page 4
ins	inseparable verb; see pages 4 and 19, models number 25 (strong) and 26 (weak)
|	placed between prefix and verb indicates a separable verb; see pages 4 and 19, models number 1 (strong) and 4 (weak)
h	conjugated with "haben"; see page 13
s	conjugated with "sein"; see page 13
ge	takes the prefix "ge-" in past participle
acc	accusative case
dat	dative case
gen	genitive case
ptp	past participle
sich	reflexive verb; see page 21
(sich)	verb is sometimes reflexive

ab|arbeiten	*wk*,h,ge 2
ab|bauen	*wk*,h,ge 4
ab|berufen	*st*,h 114
ptp abberufen	
ab|bestellen	*wk*,h 4
ptp abbestellt	
ab|bezahlen	*wk*,h 76
ptp abbezahlt	
ab|biegen	*st*,h/s,ge 13
ab|bilden	*wk*,h,ge 106
ab|blenden	*wk*,h,ge 106
ab|brechen	*st*,h/s,ge 20
ab|brennen	*mi*,h/s,ge 21
ab|bringen	*mi*,h,ge 22
ab|drehen	*wk*,h,ge 4
ab|dunkeln	*wk*,h,ge 69
ab|ebben	*wk*,s,ge 4
aberkannt←ab|erkennen	

ab|erkennen *mi*,h 77
ab|fahren *st*,s,ge 35
ab|fallen *st*,s,ge 36
ab|fangen *st*,h,ge 37
ab|fassen *wk*,h,ge 66
ab|fertigen *wk*,h,ge 4
ab|fliegen *st*,s,ge 41
ab|fragen *wk*,h,ge 4
ab|führen *wk*,h,ge 4
ab|geben *st*,h,ge 49
abgebogen←ab|biegen
abgebracht←ab|bringen
abgebrannt←ab|brennen
abgebrochen←ab|brechen
abgeflogen←ab|fliegen
abgegangen←ab|gehen
ab|gehen *st*,s,ge 51
abgeholfen←ab|helfen
abgelegen←ab|liegen
abgenommen←ab|nehmen
abgerissen←ab|reißen
abgesandt←ab|senden
abgeschossen←ab|schießen
abgeschnitten←ab|schneiden
abgesprochen←ab|sprechen
abgestritten←ab|streiten
abgetrieben←ab|treiben
abgewichen←ab|weichen
abgewiesen←ab|weisen
ab|gewöhnen *wk*,h 76
ptp abgewöhnt
abgezogen←ab|ziehen
ab|gucken *wk*,h,ge 4
ab|hängen *st*,h,ge 70
ab|härten *wk*,h,ge 2
ab|holen *wk*,h,ge 4
ab|hören *wk*,h,ge 4
ab|kaufen *wk*,h,ge 4
ab|kommen *st*,s,ge 81
ab|kürzen *wk*,h,ge 74
ab|laden *st*,h,ge 84
ab|laufen *st*,s,ge 86

ab|legen *wk*,h,ge 4
ab|lehnen *wk*,h,ge 4
ab|leiten *wk*,h,ge 2
(sich *acc*)
ab|lenken *wk*,h,ge 4
ab|lesen *st*,h,ge 89
ab|leugnen *wk*,h,ge 105
ab|liefern *wk*,h,ge 184
ab|locken *wk*,h,ge 4
ab|lösen *wk*,h,ge 103
ab|machen *wk*,h,ge 4
ab|magern *wk*,s,ge 184
ab|marschieren *wk*,s 165
ptp abmarschiert
ab|nehmen *st*,h,ge 98
ab|nutzen *wk*,h,ge 74
abonnieren *wk*,h 165
ab|ordnen *wk*,h,ge 105
ab|raten *st*,h,ge 104
ab|rechnen *wk*,h,ge 105
ab|reisen *wk*,s,ge 103
ab|reißen *st*,h,ge 108
ab|rollen *wk*,h/s,ge 4
ab|sagen *wk*,+*dat*,h,ge 4
ab|schaffen *wk*,h,ge 4
ab|schalten *wk*,h,ge 2
ab|schicken *wk*,h,ge 4
ab|schießen *st*,h,ge 124
ab|schlagen *st*,h,ge 126
ab|schleifen *st*,h,ge 128
ab|schließen *st*,h,ge 129
(sich *acc*)
ab|schnallen *wk*,h,ge 4
(sich *acc*)
ab|schneiden *st*,h,ge 133
ab|schreiben *st*,+*dat*,h,ge 118
ab|schwächen *wk*,h,ge 4
(sich *acc*)
ab|schrecken *wk*,h,ge 4
ab|schwitzen *wk*,h,ge 74
ab|sehen *st*,h,ge 142
ab|senden *mi*,h,ge 144

ab|setzen (sich *acc*)	*wk*,h,ge 74
ab|sperren	*wk*,h,ge 4
ab|spielen	*wk*,h,ge 4
ab|sprechen	*st*,h,ge 152
ab|stechen	*st*,h,ge 155
ab|steigen	*st*,s,ge 159
ab|stellen	*wk*,h,ge 4
ab|stimmen	*wk*,h,ge 4
ab|stoßen	*st*,h,ge 162
ab|streiten	*st*,h,ge 164
ab|stürzen	*wk*,s,ge 74
ab|stützen (sich *acc*)	*wk*,h,ge 74
ab|tragen	*st*,h,ge 166
ab|transportieren *ptp* abtransportiert	*wk*,h 165
ab|treiben	*st*,h/s,ge 168
ab|trennen	*wk*,h,ge 4
ab|trocknen	*wk*,h,ge 105
ab|wandern	*wk*,s,ge 184
ab|warten	*wk*,h,ge 2
ab|waschen	*st*,h,ge 185
ab|wechseln (sich *acc*)	*wk*,h,ge 69
ab|weichen	*st*,s,ge 187
ab|weisen	*st*,h,ge 188
ab|werten	*wk*,h,ge 2
ab|wickeln (sich *acc*)	*wk*,h,ge 69
ab|zahlen	*wk*,h,ge 4
ab|zapfen	*wk*,h,ge 4
ab|zehren (sich *acc*)	*wk*,h,ge 4
ab|zeichnen (sich *acc*)	*wk*,h,ge 105
ab|ziehen	*st*,h/s,ge 199
achten	*wk*,h,ge 2
ächzen	*wk*,h,ge 74
addieren	*wk*,h 165
adressieren	*wk*,h 165
ahnden	*wk*,h,ge 106
ähneln	*wk*,+*dat*,h,ge 69
alarmieren	*wk*,h 165
altern	*wk*,s,ge 184
amüsieren sich *acc*	*wk*,h,165
an|bauen	*wk*,h,ge 4
an|befehlen *ptp* anbefohlen	*st*,h 6
an|behalten *ptp* anbehalten	*st*,h 68
an|bellen	*wk*,h,ge 4
an|beten	*wk*,h,ge 4
an|bieten	*st*,h,ge 14
an|binden	*st*,h,ge 15
an|blicken	*wk*,h,ge 4
an|braten	*st*,h,ge 19
an|brechen	*st*,h/s,ge 20
an|bremsen	*wk*,h,ge 103
an|brennen	*mi*,s,ge 21
ändern (sich *acc*)	*wk*,h,ge 184
an|deuten	*wk*,h,ge 2
an|drehen	*wk*,h,ge 4
anerkannt←an|erkennen	
an|erkennen	*mi*,h 77
an|fahren	*st*,s,ge 35
an|fallen	*st*,s,ge 36
an|fangen	*st*,h,ge 37
an|fassen	*wk*,h,ge 66
an|fechten	*st*,h,ge 38
an|fertigen	*wk*,h,ge 4
an|geben	*st*,h,ge 49
angeboten←an|bieten	
angebrannt←an|brennen	
angebrochen←an|brechen	
angebunden←an|binden	
angefochten←an|fechten	
angegangen←an|gehen	
angegriffen←an|greifen	
an|gehen	*st*,s,ge 51
an|gehören *ptp* angehört	*wk*,h 76

angeln *wk*,h,ge 69
angenommen←an|nehmen
angeschlossen←an|schließen
angesprochen←an|sprechen
angestanden←an|stehen
angetrieben←an|treiben
angewiesen←an|weisen
an|gewöhnen *wk*,h 76
ptp angewöhnt
angezogen←an|ziehen
an|greifen *st*,h,ge 65
an|haben *st*,h,ge 67
an|haften *wk*,h,ge 2
an|halten *st*,h,ge 68
an|heben *st*,h,ge 72
an|hören *wk*,h,ge 4
an|klagen *wk*,h,ge 4
an|kleiden *wk*,h,ge 106
an|klopfen *wk*,h,ge 4
an|kommen *st*,s,ge 81
an|kreuzen *wk*,h,ge 74
an|kündigen *wk*,h,ge 4
an|langen *wk*,s,ge 4
an|legen *wk*,h,ge 4
an|lernen *wk*,h,ge 4
an|machen *wk*,h,ge 4
an|melden *wk*,h,ge 106
an|merken *wk*,h,ge 4
an|nähen *wk*,h,ge 4
an|nehmen st,h,ge 1
an|ordnen *wk*,h,ge 105
an|passen *wk*,h,ge 66
(sich *acc*)
an|probieren *wk*,h,ge 165
an|rechnen *wk*,h,ge 105
an|reden *wk*,h,ge 106
an|regen *wk*,h,ge 4
an|reizen *wk*,h,ge 74
an|richten *wk*,h,ge 2
an|rufen *st*,h,ge 114
an|rühren *wk*,h,ge 4
an|sagen *wk*,h,ge 4
an|schalten *wk*,h,ge 2
an|schauen *wk*,h,ge 4
an|schließen *st*,h,ge 129
an|schneiden *st*,h,ge 133
an|schreien *st*,h,ge 135
an|sehen *st*,h,ge 142
an|setzen *wk*,h,ge 74
an|spannen *wk*,h,ge 4
an|sprechen *st*,h,ge 152
an|starren *wk*,h,ge 4
an|stecken *wk*,h,ge 4
an|stehen *st*,h,ge 157
an|steigen *st*,s,ge 159
an|stellen *wk*,h,ge 4
an|stiften *wk*,h,ge 2
an|stimmen *wk*,h,ge 4
an|stoßen *st*,s,ge 162
an|strengen *wk*,h,ge 4
(sich *acc*)
an|treiben *st*,h/s,ge 168
an|treten *st*,s,ge 169
antworten *wk*,h,ge 2
an|vertrauen *wk*,h 4
ptp anvertraut
an|weisen *st*,h,ge 188
an|wenden *st*,h,ge 189
an|werben *st*,h,ge 190
an|zeigen *wk*,h,ge 4
an|ziehen *st*,h,ge 199
an|zünden *wk*,h,ge 106
arbeiten wk,h,ge 2
ärgern *wk*,h,ge 184
aß, äße←essen
atmen wk,h,ge 3
auf|bauen *wk*,h,ge 4
auf|bewahren *wk*,h 76
ptp aufbewahrt
auf|bleiben *st*,s,ge 18
auf|blühen *wk*,s,ge 4
auf|brechen *st*,h,ge 20
auf|essen *st*,h,ge 34
auf|fallen *st*,+*dat*,s,ge 36

auf|fangen	*st*,h,ge 37
auf|fassen	*wk*,h,ge 66
auf|fordern	*wk*,h,ge 184
auf|führen	*wk*,h,ge 4
auf|geben	*st*,h,ge 49
aufgeblieben←auf|bleiben	
aufgebrochen←auf|brechen	
aufgehoben←auf|heben	
aufgenommen←auf|nehmen	
aufgerieben←auf|reiben	
aufgeschlossen←auf|schließen	
aufgeschoben←auf|schieben	
aufgestanden←auf|stehen	
aufgestiegen←auf|steigen	
aufgetrieben←auf|treiben	
aufgewandt←auf|wenden	
auf|haben	*st*,h,ge 67
auf|hängen	*st*,h,ge 70
auf|heben	*st*,h,ge 72
auf|heitern	*wk*,h,ge 184
auf|hören	*wk*,h,ge 4
auf|klären	*wk*,h,ge 4
auf|lösen (sich *acc*)	*wk*,h,ge 103
auf|machen	*wk*,h,ge 4
auf|muntern	*wk*,h,ge 184
auf|nehmen	*st*,h,ge 98
auf|opfern	*wk*,h,ge 184
auf|passen	*wk*,h,ge 66
auf|räumen	*wk*,h,ge 4
aufrecht|erhalten *ptp* aufrechterhalten	*st*,h 68
auf|regen	*wk*,h,ge 4
auf|reiben	*st*,h,ge 107
auf|richten (sich *acc*)	*wk*,h,ge 2
auf|rufen	*st*,h,ge 114
auf|schieben	*st*,h,ge 123
auf|schließen	*st*,h,ge 129
auf|schreiben	*st*,h,ge 134
auf|sehen	*st*,h,ge 142
auf|setzen	*wk*,h,ge 74
auf|stehen	*st*,s,ge 157
auf|steigen	*st*,s,ge 159
auf|stellen	*wk*,h,ge 4
auf|tauchen	*wk*,s,ge 4
auf|tauen	*wk*,s,ge 4
auf|treiben	*st*,h,ge 168
auf|treten	*st*,s,ge 169
auf|wachen	*wk*,s,ge 4
auf|wachsen	*st*,s,ge 182
auf|wärmen	*wk*,h,ge 4
auf|wecken	*wk*,h,ge 4
auf|zählen	*wk*,h,ge 4
auf|zeichnen	*wk*,h,ge 105
auf|ziehen	*st*,h/s,ge 199
aus|arbeiten	*wk*,h,ge 2
aus|atmen	*wk*,h,ge 3
aus|bauen	*wk*,h,ge 4
aus|bessern	*wk*,h,ge 184
aus|beuten	*wk*,h,ge 2
aus|bilden	*wk*,h,ge 106
aus|bleiben	*st*,s,ge 18
aus|brechen	*st*,h,ge 20
aus|breiten (sich *acc*)	*wk*,h,ge 2
aus|brennen	*mi*,s,ge 21
aus|dehnen	*wk*,h,ge 4
aus|denken sich *dat*	*mi*,h,ge 23
aus|drücken (sich *acc*)	*wk*,h,ge 4
auseinander|setzen	*wk*,h,ge 74
aus|fallen	*st*,s,ge 36
aus|führen	*wk*,h,ge 4
aus|geben	*st*,h,ge 49
ausgebrannt←aus|brennen	
ausgegangen←aus|gehen	
aus|gehen	*st*,s,ge 51
ausgeschnitten←aus|schneiden	
ausgesprochen←aus|sprechen	
ausgestiegen←aus|steigen	
ausgetrunken←aus|trinken	
ausgewichen←aus|weichen	

ausgezogen←aus|ziehen	
aus|gleichen	*st*,h,ge 61
aus|halten	*st*,h,ge 68
aus|helfen	*st*,h,ge 75
aus|kennen (sich *acc*)	*mi*,h,ge 77
aus|kleiden	*wk*,h,ge 106
aus|kommen	*st*,s,ge 81
aus|lachen	*wk*,h,ge 4
aus|lassen	*st*,h,ge 85
aus|liefern	*wk*,h,ge 184
aus|lösen	*wk*,h,ge 103
aus|machen	*wk*,h,ge 4
aus|packen	*wk*,h,ge 4
aus|reden	*wk*,h,ge 106
aus|reichen	***wk*,h,ge 4**
aus|reisen	*wk*,s,ge 103
aus|rotten	*wk*,h,ge 2
aus|rufen	*st*,h,ge 114
aus|ruhen sich *acc*	*wk*,h,ge 4
aus|sagen	*wk*,h,ge 4
aus|schalten	*wk*,h,ge 2
aus|scheiden	*st*,h,ge 133
aus|sehen	*st*,h,ge 142
äußern (sich *acc*)	*wk*,h,ge 184
aus|sondern	*wk*,h,ge 184
aus|sortieren *ptp* aussortiert	*wk*,h 165
aus|spannen	*wk*,h,ge 4
aus|sprechen	*st*,h,ge 152
aus|steigen	*st*,s,ge 159
aus|stellen	*wk*,h,ge 4
aus|stoßen	*st*,h,ge 162
aus|suchen	*wk*,h,ge 4
aus|teilen	*wk*,h,ge 4
aus|tragen	*st*,h,ge 166
aus|trinken	*st*,h,ge 170
aus|üben	*wk*,h,ge 4
aus|wählen	*wk*,h,ge 4
aus|wandern	*wk*,s,ge 184
aus|weichen	*st*,+*dat*,s,ge 187
aus|weisen	*st*,h,ge 188
aus|wirken	*wk*,h,ge 4
aus|zahlen	*wk*,h,ge 4
aus|ziehen	*st*,h,ge 199
backen	***st*,h,ge 5**
baden	*wk*,h,ge 106
band, bände←binden	
barg, bärge←bergen	
barst, bärste←bersten	
basteln	*wk*,h,ge 69
bat, bäte←bitten	
bauen	*wk*,h,ge 76
beachten	*wk*,*ins*,h 2
beanspruchen	*wk*,*ins*,h 11
beantragen	*wk*,*ins*,h 11
beantworten	*wk*,*ins*,h 2
bearbeiten	*wk*,*ins*,h 2
beaufsichtigen	*wk*,*ins*,h 11
beauftragen	*wk*,*ins*,h 11
beben	*wk*,h,ge 76
bedanken sich *acc*	*wk*,*ins*,h 11
bedauern	*wk*,*ins*,h 184
bedenken (sich *acc*)	*mi*,*ins*,h 23
bedeuten	*wk*,*ins*,h 2
bedienen (sich *acc:+gen*)	*wk*,*ins*,h 11
bedrohen	*wk*,*ins*,h 11
bedrücken	*wk*,*ins*,h 11
bedürfen	*mi*,*ins*,+*gen*,h 28
beeilen sich *acc*	*wk*,*ins*,h 11
beeindrucken	*wk*,*ins*,h 11
beeinflussen *ptp* beeinflußt	*wk*,*ins*,h 11
beeinträchtigen	*wk*,*ins*,h 11
beenden	*wk*,*ins*,h 106
beerdigen	*wk*,*ins*,h 11
befähigen	*wk*,*ins*,h 11
befahl, befähle←befehlen	

befallen *st,ins*,h 36
befehlen ***st,ins*,h 6**
befiehl←befehlen
befinden *st,ins*,h 39
sich *acc*
befohlen←befehlen
befördern *wk,ins*,h 184
befragen *wk,ins*,h 11
befreien *wk,ins*,h 11
befremden *wk,ins*,h 106
befriedigen *wk,ins*,h 11
befürworten *wk,ins*,h 2
begann, begänne←beginnen
begeben *st,ins*,h 49
sich *acc*
begegnen *wk,+dat,ins*,s 105
begehen *st,ins*,h 51
begehren *wk,ins*,h 11
begeistern *wk,ins*,h 184
begießen *st,ins*,h 60
beginnen ***st,ins*,h 7**
beglaubigen *wk,ins*,h 11
begleiten *wk,ins*,h 2
begnügen *wk,ins*,h 11
sich *acc*
begonnen, begönne←beginnen
begraben *st,ins*,h 64
begreifen *st,ins*,h 65
begrenzen *wk,ins*,h 74
begründen *wk,ins*,h 106
begrüßen *wk,ins*,h 66
behalten *st,ins*,h 68
behandeln *wk,ins*,h 69
behaupten *wk,ins*,h 2
behelfen *st,ins*,h 75
beherrschen *wk,ins*,h 11
behindern *wk,ins*,h 184
beholfen←behelfen
behüten *wk,ins*,h 2
bei|bringen *st*,h,ge 22
beichten *wk*,h,ge 2
bei|fügen *wk*,h,ge 4
beigebracht←bei|bringen
bei|legen *wk*,h,ge 4
beißen ***st*,h,ge 8**
bei|stehen *st,+dat*,h,ge 157
bei|stimmen *wk,+dat*,h,ge 4
bei|tragen *st*,h,ge 166
bei|treten *st*,s,ge 169
bei|wohnen *wk*,h,ge 4
bekämpfen *wk,ins*,h 11
bekannt←bekennen
bekannt|geben *st*,h,ge 49
beklagen *wk,ins*,h 11
(sich *acc*)
bekommen *st,+dat,ins*,h 81
beladen *st,ins*,h 84
belangen *wk,ins*,h 76
belasten *wk,ins*,h 2
(sich *acc*)
beleidigen *wk,ins*,h 11
belichten *wk,ins*,h 2
bellen *wk*,h,ge 76
belohnen *wk*,ins,h 11
bemächtigen *wk,ins*,h 11
sich *acc:+gen*
bemerken *wk,ins*,h 11
bemühen *wk,ins*,h 11
sich *acc*
benachrichtigen *wk,ins*,h 11
benehmen *st,ins*,h 98
sich *acc*
beneiden *wk,ins*,h 106
benötigen *wk,ins*,h 11
benutzen *wk,ins*,h 74
benützen *wk,ins*,h 74
beobachten *wk,ins*,h 2
beraten *st,ins*,h 104
bereiten *wk,ins*,h 109
bereuen *wk,ins*,h 11
bergen ***st*,h,ge 9**
berichten *wk,ins*,h 2
bersten ***st*,s,ge 10**
berücksichtigen *wk,ins*,h 11

beruhigen (sich *acc*)	*wk,ins*,h 30
berühren	*wk,ins*,h 30
beschäftigen (sich *acc*)	*wk,ins*,h 30
bescheren	*wk,ins*,h 30
beschimpfen	*wk,ins*,h 30
beschlagnahmen	*wk,ins*,h 30
beschleunigen	*wk,ins*,h 30
beschmutzen	*wk,ins*,h 74
beschönigen	*wk,ins*,h 30
beschränken (sich *acc*)	*wk,ins*,h 30
beschreiben	*st,ins*,h 134
beschweren (sich *acc*)	*wk,ins*,h 30
beschwören	*wk,ins*,h 30
besichtigen	*wk,ins*,h 30
besitzen	*st,ins*,h 148
besorgen	*wk,ins*,h 30
besprechen	*st,ins*,h 152
bessern	*wk*,h,ge 184
bestätigen (sich *acc*)	*wk,ins*,h 30
bestehen	*st,ins*,h 157
bestellen	***wk,ins*,h 11**
bestimmen	*wk,ins*,h 11
bestrafen	*wk,ins*,h 11
bestreichen	*st,ins*,h 163
bestreiten	*st,ins*,h 164
besuchen	*wk,ins*,h 11
betäuben	*wk,ins*,h 11
beteiligen	*wk,ins*,h 11
beten	*wk*,h,ge 2
betonen	*wk,ins*,h 11
betrachten	*wk,ins*,h 2
betreffen	*st,ins*,h 167
betreiben	*st,ins*,h 168
betreten	*st,ins*,h 169
betreuen	*wk,ins*,h 11
betrinken sich *acc*	*st,ins*,h 170
betrog(en), betröge←betrügen	
betrügen	*st,ins*,h 171
betteln	*wk*,h,ge 69
beugen (sich *acc*)	*wk*,h,ge 76
beunruhigen (sich *acc*)	*wk,ins*,h 11
beurlauben	*wk,ins*,h 11
beurteilen	*wk,ins*,h 11
bevölkern	*wk,ins*,h 184
bevorzugen	*wk,ins*,h 11
bewachen	*wk,ins*,h 11
bewaffnen (sich *acc*)	*wk,ins*,h 105
bewahren	*wk,ins*,h 11
bewähren sich *acc*	*wk,ins*,h 11
bewältigen	*wk,ins*,h 11
bewegen (sich *acc*)	*wk,ins*,h 11
bewegen	***st,ins*,h 12**
beweisen (sich *acc*)	*st,ins*,h 188
bewerben sich *acc*	*st,ins*,h 190
bewirken	*wk,ins*,h 11
bewog, bewöge←bewegen	
bewohnen	*wk,ins*,h 11
bewundern	*wk,ins*,h 184
bezahlen	*wk,ins*,h 11
bezeichnen	*wk,ins*,h 105
beziehen (sich *acc*)	*st,ins*,h 199
bezweifeln	*wk,ins*,h 69
bezwingen	*st,ins*,h 200
biegen	***st*,h/s,ge 13**
bieten	***st*,h,ge 14**
bilden	*wk*,h,ge 106
billigen	*wk*,h,ge 76
bin←sein	
binden	***st*,h,ge 15**
birg, birgt←bergen	

birst←bersten	
biß←beißen	
bist←sein	
bitten	***st*,h,ge 16**
blasen	***st*,h,ge 17**
bläst←blasen	
bleiben	***st*,s,ge 18**
blenden	*wk*,h,ge 106
blicken	*wk*,h,ge 76
blieb←bleiben	
blies←blasen	
blitzen	*wk*,h,ge 74
blockieren	*wk*,h 165
blühen	*wk*,h,ge 76
bluten	*wk*,h,ge 2
bog, böge←biegen	
bohren	*wk*,h,ge 76
bot, böte←bieten	
boykottieren	*wk*,h 165
brach, bräche←brechen	
brachte, brächte←bringen	
brannte←brennen	
brät←braten	
braten	***st*,h,ge 19**
brauchen	*wk*,h,ge 76
brechen	***st*,h/s,ge 20**
bremsen	*wk*,h,ge 103
brennen	***mi*,h,ge 21**
briet←braten	
bringen	***mi*,h,ge 22**
brüllen	*wk*,h,ge 76
buchen	*wk*,h,ge 76
buchstabieren	*wk*,h 165
bügeln	*wk*,h,ge 69
bürsten	*wk*,h,ge 2
büßen	*wk*,h,ge 66
charakterisieren	*wk*,h 165
dabei|sein	*st*,s,ge 143
dabeigewesen←dabei|sein	
dachte, dächte←denken	
danken	*wk*,+*dat*,h,ge 76
darf←dürfen	
dar|stellen	*wk*,h,ge 4
da|sein	*st*,s,ge 143
dauern	*wk*,h,ge 184
davon|kommen	*st*,s,ge 81
davon|machen sich *acc*	*wk*,h,ge 4
dazu|gehören *ptp* dazugehört	*wk*,h 76
decken (sich *acc*)	*wk*,h,ge 76
definieren	*wk*,h 165
dehnen (sich *acc*)	*wk*,h,ge 76
delegieren	*wk*,h 165
demonstrieren	*wk*,h 165
demütigen	*wk*,h,ge 76
denken	***mi*,h,ge 23**
denunzieren	*wk*,h 165
desinfizieren	*wk*,h 165
deuten	*wk*,h,ge 2
dichten	*wk*,h,ge 2
dienen	*wk*,+*dat*,h,ge 76
diktieren	*wk*,h 165
diskutieren	*wk*,h 165
dolmetschen	*wk*,h,ge 76
donnern	*wk*,h/s,ge 184
dramatisieren	*wk*,h 165
drang, dränge←dringen	
drehen (sich *acc*)	*wk*,h,ge 76
dreschen	***st*,h,ge 24**
dringen	***st*,s,ge 25**
drischt←dreschen	
drohen	*wk*,+*dat*,h,ge 76
drosch, drösche←dreschen	
drosseln	*wk*,h,ge 69
drucken	*wk*,h,ge 76
drücken	*wk*,h,ge 76
duften	*wk*,h,ge 2
dulden	*wk*,h,ge 106
durch|bringen	*mi*,h,ge 22
durcheinander|bringen	*mi*,h,ge 22

ein|stürzen	*wk*,s,ge 74
ein|teilen	*wk*,h,ge 4
ein|tragen	*st*,h,ge 166
(sich *acc*)	
ein|treffen	*st*,s,ge 167
ein|treten	*st*,s,ge 169
ein|wandern	*wk*,s,ge 184
ein|weichen	*st*,h,ge 187
ein|weihen	*wk*,h,ge 4
ein|wenden	*mi*,h,ge 106
ein|willigen	*wk*,h,ge 4
ein|ziehen	*st*,h/s,ge 199
ekeln	*wk*,h,ge 69
(sich *acc*)	
empfahl, empfähle←empfehlen	
empfangen	*st*,*ins*,h 37
empfehlen	***st*,*ins*,h 29**
empfiehlst, empfiehlt←empfehlen	
empfinden	*st*,*ins*,h 39
empfohlen←empfehlen	
empfunden←empfinden	
empören	*wk*,*ins*,h 30
(sich *acc*)	
empor|kommen	*st*,s,ge 81
enden	*wk*,h,ge 106
entbehren	*wk*,*ins*,+*gen*,h 30
entbinden	*st*,*ins*,h 15
entblößen	*wk*,*ins*,h 30
entbunden←entbinden	
entdecken	***wk*,*ins*,h 30**
entfallen	*st*,*ins*,h 36
entfernen	*wk*,*ins*,h 30
(sich *acc*)	
entführen	*wk*,*ins*,h 30
entgegen|kommen	*st*,s,ge 81
enthalten	*st*,*ins*,h 68
entkommen	*st*,*ins*,s 81
entlassen	*st*,*ins*,h 85
entlaufen	*st*,*ins*,s 86
entledigen	*wk*,*ins*,h 30
(sich *acc*)	
entleihen	*st*,*ins*,h 88
entmutigen	*wk*,*ins*,h 30
entnehmen	*st*,*ins*,h 98
entnommen←entnehmen	
entreißen	*st*,*ins*,h 108
entrissen←entreißen	
entscheiden	*st*,*ins*,h 119
entschieden←entscheiden	
entschließen	*st*,*ins*,h 129
sich *acc*	
entschlossen←entschließen	
entschuldigen	*wk*,*ins*,h 30
(sich *acc*)	
entspannen	*wk*,*ins*,h 30
(sich *acc*)	
entsprechen	*st*,*ins*,+*dat*,h 152
entsprochen←entsprechen	
entstand, entstanden←entstehen	
entstehen	*st*,*ins*,s 157
enttäuschen	*wk*,*ins*,h 30
entwickeln	*wk*,*ins*,h 69
(sich *acc*)	
entziehen	*st*,*ins*,h 199
(sich *acc*)	
entzog, entzogen←entziehen	
erarbeiten	*wk*,*ins*,h 2
erben	*wk*,h,ge 76
erdulden	*wk*,*ins*,h 106
ereignen	*wk*,*ins*,h 105
sich *acc*	
erfahren	*st*,*ins*,h 35
erfand←erfinden	
erfassen	*wk*,*ins*,h 66
erfinden	*st*,*ins*,h 39, 29
erfordern	*wk*,*ins*,h 184, 33
erforschen	*wk*,*ins*,h 33
erfrieren	*st*,*ins*,s 46, 29
erfror, erfroren←erfrieren	
erfuhr←erfahren	
erfunden←erfinden	
ergab←ergeben	
ergangen, erging←ergehen	

ergänzen (sich *acc*)	*wk,ins*,h 74
ergeben (sich *acc*)	*st,ins*,h 49
ergehen	*st,ins*,s 51
ergreifen	*st,ins*,h 65
ergriff, ergriffen←ergreifen	
erhalten	*st,ins*,h 68
erheben (sich *acc*)	*st,ins*,h 72
erholen sich *acc*	*wk,ins*,h 33
erinnern (sich *acc:+gen*)	*wk,ins*,h 184
erkälten sich *acc*	*wk,ins*,h 2
erkannte, erkannt←erkennen	
erkennen	*mi,ins*,h 77
erklären	*wk,ins*,h 33
erklimmen	*st,ins*,h 78
erklomm, erklommen← erklimmen	
erkundigen sich *acc*	*wk,ins*,h 33
erlauben	*wk,ins*,h 33
erleben	*wk,ins*,h 33
erledigen	*wk,ins*,h 33
erlernen	*wk,ins*,h 33
erlischt, erlosch←erlöschen	
erlöschen	***st,ins,s* 31**
ermahnen	*wk,ins*,h 33
ermitteln	*wk,ins*,h 69
ermorden	*wk,ins*,h 106
ernähren (sich *acc*)	*wk,ins*,h 33
ernannte, ernannt←ernennen	
ernennen	*mi,ins*,h 99
erneuern	*wk,ins*,h 184
ernten	*wk*,h,ge 2
erobern	*wk,ins*,h 184
eröffnen	*wk,ins*,h 105
erörtern	*wk,ins*,h 184
erregen (sich *acc*)	*wk,ins*,h 33
erreichen	*wk,ins*,h 33
errichten	*wk,ins*,h 2
erröten	*wk,ins*,s 2
erscheinen	*st,ins*,s 120
erschießen	*st,ins*,h 124
erschossen←erschießen	
erschrak, erschräke← erschrecken	
erschrecken	*st,ins*,s 32
erschrecken	***wk,ins,h* 32**
erschrickt, erschrocken← erschrecken	
erstaunen	*wk,ins*,h/s 33
ersticken	*wk,ins*,h/s 33
erteilen	*wk,ins*,h 33
ertragen	*st,ins*,h 166
ertrug←ertragen	
erwachen	*wk,ins*,s 33
erwähnen	*wk,ins*,h 33
erwarten	*wk,ins*,h 2
erzählen	***wk,ins,h* 33**
erzeugen	*wk,ins*,h 33
essen	***st,h,ge* 34**
fabrizieren	*wk*,h 165
fahren	***st,h/s,ge* 35**
fährt←fahren	
fallen	***st,s,ge* 36**
fällst, fällt←fallen	
falten	*wk*,h,ge 2
fand, fände←finden	
fangen	***st,h,ge* 37**
fängt←fangen	
färben (sich *acc*)	*wk*,h,ge 76
fassen	*wk*,h,ge 66
faulenzen	*wk*,h,ge 74
faxen	*wk*,h,ge 74
fechten	***st,h,ge* 38**
fehlen	*wk,+dat*,h,ge 76
feiern	*wk*,h,ge 184

fern|sehen *st*,h,ge 142
fertigen *wk*,h,ge 76
fest|halten *st*,h,ge 68
fest|stellen *wk*,h,ge 4
fichst, ficht←fechten
fiel←fallen
filmen *wk*,h,ge 76
finden *st*,h,ge 39
fing←fangen
fischen *wk*,h,ge 76
flechten *st*,h,ge 40
flichst, flicht←flechten
fliegen *st*,h/s,ge 41
fliehen *st*,s,ge 42
fließen *st*,h,ge 43
flocht, flöchte←flechten
flog, flöge←fliegen
floh, flöhe←fliehen
floß, flösse←fließen
flüstern *wk*,h,ge 184
focht, föchte←fechten
folgen *wk*,+*dat*,h,ge 76
foltern *wk*,h,ge 184
fordern *wk*,h,ge 184
fördern *wk*,h,ge 184
forschen *wk*,h,ge 76
fort|führen *wk*,h,ge 4
fort|laufen *st*,s,ge 86
fort|pflanzen *wk*,h,ge 74
sich *acc*
fort|setzen *wk*,h,ge 74
fotografieren *wk*,h 165
fragen *wk*,h,ge 76
fraß, fräße←fressen
freigesprochen←frei|sprechen
frei|sprechen *st*,h,ge 152
fressen *st*,h,ge 44
freuen *wk*,h,ge 45
sich *acc*
frieren *st*,h/s,ge 46
frißt←fressen
fror, fröre←frieren
frühstücken *wk*,h,ge 76
fühlen *wk*,h,ge 76
(sich *acc*)
fuhr, führe←fahren
führen *wk*,h,ge 76
füllen *wk*,h,ge 76
fürchten *wk*,h,ge 2
füttern *wk*,h,ge 184
gab, gäbe←geben
gähnen *wk*,h,ge 76
galt, gälte←gelten
garantieren *wk*,h 165
gären *st*,h/s,ge 47
gebar, gebäre←gebären
gebären *st*,h 48
geben *st*,h,ge 49
gebeten←bitten
gebissen←beißen
geblichen←bleichen
geblieben←bleiben
gebogen←biegen
geboren←gebären
geborgen←bergen
geborsten←bersten
geboten←bieten
gebracht←bringen
gebrannt←brennen
gebrauchen *wk*,*ins*,h 52
gebrochen←brechen
gebunden←binden
gedacht←denken
gedeihen *st*,*ins*,s 50
gedieh, gediehen←gedeihen
gedroschen←dreschen
gedrungen←dringen
gedurft←dürfen
gefallen *st*,*ins*,+*dat*,h 36
geflochten←flechten
geflogen←fliegen
geflohen←fliehen
geflossen←fließen
gefochten←fechten

gefrieren *st,ins*,s 46
gefroren←frieren, gefrieren
gefunden←finden
gegangen←gehen
gegessen←essen
geglichen←gleichen
geglitten←gleiten
geglommen←glimmen
gegolten←gelten
gegossen←gießen
gegriffen←greifen
gehen ***st*,s,ge 51**
gehoben←heben
geholfen←helfen
gehorchen ***wk,ins,+dat*,h 52**
gehören *wk,ins,+dat*,h 26
gekannt←kennen
geklommen←klimmen
geklungen←klingen
gekniffen←kneifen
gekonnt←können
gekrochen←kriechen
gelang, gelänge←gelingen
gelangen *wk,ins*,s 52
gelegen←liegen
geliehen←leihen
gelingen ***st,ins,+dat*,s 53**
gelitten←leiden
gelogen←lügen
gelten ***st*,h,ge 54**
gelungen←gelingen
gemieden←meiden
gemocht←mögen
gemußt←müssen
genannt←nennen
genas, genäse←genesen
genesen ***st,ins*,s 55**
genießen ***st,ins*,h 56**
genommen←nehmen
genoß, genösse←genießen
genügen *wk,ins,+dat*,h 52
gepfiffen←pfeifen
gepriesen←preisen
gequollen←quellen
gerannt←rennen
geraten ***st,ins,+dat*,s 57**
gerieben←reiben
gerissen←reißen
geritten←reiten
gerochen←riechen
gerungen←ringen
gesandt←senden
geschah, geschähe←geschehen
geschehen ***st,ins*,s 58**
geschieden←scheiden
geschieht←geschehen
geschienen←scheinen
geschlichen←schleichen
geschliffen←schleifen
geschlossen←schließen
geschlungen←schlingen
geschmissen←schmeißen
geschmolzen←schmelzen
geschnitten←schneiden
geschoben←schieben
gescholten←schelten
geschoren←scheren
geschossen←schießen
geschrieben←schreiben
geschrie(e)n←schreien
geschritten←schreiten
geschwiegen←schweigen
geschwollen←schwellen
geschwommen←schwimmen
geschworen←schwören
geschwunden←schwinden
geschwungen←schwingen
gesessen←sitzen
gesoffen←saufen
gesogen←saugen
gesonnen←sinnen
gespie(e)n←speien
gesponnen←spinnen
gesprochen←sprechen

gesprossen←sprießen	
gesprungen←springen	
gestanden←stehen	
gestatten	*wk,ins*,h 2
gestiegen←steigen	
gestochen←stechen	
gestohlen←stehlen	
gestorben←sterben	
gestoßen←stoßen	
gestrichen←streichen	
gestritten←streiten	
gestunken←stinken	
gesungen←singen	
gesunken←sinken	
getan←tun	
getragen←tragen	
getrieben←treiben	
getroffen←treffen	
getrunken←trinken	
gewandt←wenden	
gewann, gewänne←gewinnen	
gewesen←sein	
gewichen←weichen	
gewiesen←weisen	
gewinnen	***st,ins*,h 59**
gewogen←wiegen	
gewöhnen (sich *acc*)	*wk,ins*,h 52
gewonnen, gewönne←gewinnen	
geworben←werben	
geworden←werden	
geworfen←werfen	
gewunden←winden	
gewußt←wissen	
gezogen←ziehen	
gezwungen←zwingen	
gib, gibt←geben	
gießen	***st*,h,ge 60**
gilt←gelten	
ging←gehen	
glänzen	*wk*,h,ge 74
glauben	*wk*,h,ge 76
gleichen	***st,+dat*,h,ge 61**
gleiten	***st*,s,ge 62**
glich←gleichen	
glimmen	***st*,h,ge 63**
glitt←gleiten	
glomm, glömme←glimmen	
glühen	*wk*,h,ge 76
goß, gösse←gießen	
graben	***st*,h,ge 64**
gräbt←graben	
gratulieren	*wk,+dat*,h 165
greifen	***st*,h,ge 65**
griff←greifen	
grenzen	*wk*,h,ge 74
grub, grübe←graben	
grüßen	***wk*,h,ge 66**
gucken	*wk*,h,ge 76
gut|tun	*st*,h,ge 172
haben	***st*,h,ge 67**
haften	*wk*,h,ge 2
häkeln	*wk*,h,ge 69
half, hälfe←helfen	
hält←halten	
halten (sich *acc*)	***st*,h,ge 68**
hämmern	*wk*,h,ge 184
handeln	***wk*,h,ge 69**
hängen	***st*,h,ge 70**
hängen	*wk*,h,ge 70
hassen	*wk*,h,ge 66
hauen	***st*,h,ge 71**
heben	***st*,h,ge 72**
heilen	*wk*,h,ge 76
heim|kehren	*wk*,s,ge 4
heiraten	*wk*,h,ge 2
heißen	***st*,h,ge 73**
heizen	***wk*,h,ge 74**
helfen	***st,+dat*,h,ge 75**
heran|fahren	*st*,s,ge 35
heraus|fordern	*wk*,h,ge 184
heraus|geben	*st*,h,ge 49
heraus|stellen	*wk*,h,ge 4

her|geben *st*,h,ge 49
herrschen *wk*,h,ge 76
her|stellen *wk*,h,ge 4
herumgegangen←herum|gehen
herum|gehen *st*,s,ge 51
hervorgegangen←hervor|gehen
hervor|gehen *st*,s,ge 51
hervor|rufen *st*,h,ge 114
hervor|treten *st*,s,ge 169
hetzen *wk*,h,ge 74
heucheln *wk*,h,ge 69
heulen *wk*,h,ge 76
hieb←hauen
hielt←halten
hieß←heißen
hilfst, hilft←helfen
hinaus|fahren *st*,s,ge 35
hinausgegangen←hinaus|gehen
hinaus|gehen *st*,s,ge 51
hinausgeworfen←hinaus|werfen
hinaus|werfen *st*,h,ge 192
hindern *wk*,h,ge 184
hin|fallen *st*,s,ge 36
hin|führen *wk*,h,ge 4
hing←hängen
hin|geben *st*,h,ge 49
(sich *acc*)
hingenommen←hin|nehmen
hingewiesen←hin|weisen
hinken *wk*,h/s,ge 76
hin|kommen *st*,s,ge 81
hin|kriegen *wk*,h,ge 4
hin|legen *wk*,h,ge 4
hin|nehmen *st*,h,ge 98
hinter|lassen *st*,h,ge 85
hinweg|setzen *wk*,h/s,ge 74
(sich *acc*)
hin|weisen *st*,h,ge 188
hinzu|fügen *wk*,h,ge 4
hob←heben
hocken *wk*,h,ge 76
(sich *acc*)

hoffen *wk*,h,ge 76
holen ***wk*,h,ge 76**
holpern *wk*,s,ge 184
horchen *wk*,h,ge 76
hören *wk*,h,ge 76
hungern *wk*,h,ge 184
(sich *acc*)
hüpfen *wk*,s,ge 76
husten *wk*,h,ge 2
hüten *wk*,h,ge 2
(sich *acc*)
identifizieren *wk*,h 165
(sich *acc*)
ignorieren *wk*,h 165
imitieren *wk*,h 165
impfen *wk*,h,ge 76
informieren *wk*,h 165
(sich *acc*)
inne|haben *st*,h,ge 67
inspirieren *wk*,h 165
inszenieren *wk*,h 165
interessieren *wk*,h 165
(sich *acc*)
interviewen *wk*,h 30
investieren *wk*,h 165
irre|führen *wk*,h,ge 4
irren *wk*,h,ge 45
(sich *acc*)
ißt←essen
ist←sein
jagen *wk*,h,ge 76
jammern *wk*,h,ge 184
jubeln *wk*,h,ge 69
jucken *wk*,h,ge 76
kalkulieren *wk*,h 165
kam, käme←kommen
kämmen *wk*,h,ge 76
(sich *acc*)
kämpfen *wk*,h,ge 76
kann, kannst←können
kannte←kennen
kapieren *wk*,h 165

kassieren	*wk*,h 165
kauen	*wk*,h,ge 76
kaufen	*wk*,h,ge 76
kehren (sich *acc*)	*wk*,h,ge 76
keimen	*wk*,h,ge 76
kennen	***mi*,h,ge 77**
kennen|lernen	*wk*,h,ge 4
kennzeichnen	*wk*,h,ge 105
keuchen	*wk*,h,ge 76
kichern	*wk*,h,ge 184
kitzeln	*wk*,h,ge 69
klagen	*wk*,h,ge 76
klar|machen	*wk*,h,ge 4
klatschen	*wk*,h,ge 76
klauen	*wk*,h,ge 76
kleben	*wk*,h,ge 76
kleiden	*wk*,h,ge 106
klettern	*wk*,h,ge 184
klimmen	***st*,s,ge 78**
klingeln	*wk*,h,ge 69
klingen	***st*,h,ge 79**
klomm, klömme←klimmen	
klopfen	*wk*,h,ge 76
knabbern	*wk*,h,ge 184
knallen	*wk*,h,ge 76
kneifen	***st*,h,ge 80**
knien	*wk*,h,ge 76
kniff←kneifen	
knistern	*wk*,h,ge 184
knoten	*wk*,h,ge 2
knüpfen	*wk*,h,ge 76
kochen	*wk*,h,ge 76
kommandieren	*wk*,h 165
kommen	***st*,s,ge 81**
kommentieren	*wk*,h 165
konfrontieren	*wk*,h 165
können	***mo*,h,ge 82**
konnte, könnte←können	
kontrollieren	*wk*,h 165
konzentrieren (sich *acc*)	*wk*,h 165

kopieren	*wk*,h 165
korrespondieren	*wk*,h 165
korrigieren	*wk*,h 165
kosten	*wk*,h,ge 2
krähen	*wk*,h,ge 76
kranken	*wk*,h,ge 76
kränken	*wk*,h,ge 76
kratzen	*wk*,h,ge 74
kreisen	*wk*,h/s,ge 103
kreuzen	*wk*,h,ge 74
kriechen	***st*,s,ge 83**
kriegen	*wk*,h,ge 76
kritisieren	*wk*,h 165
kroch, kröche←kriechen	
kühlen	*wk*,h,ge 76
kultivieren	*wk*,h 165
kümmern (sich *acc*)	*wk*,h,ge 76
kürzen	*wk*,h,ge 74
küssen	*wk*,h,ge 66
lächeln	*wk*,h,ge 69
lachen	*wk*,h,ge 76
laden	***st*,h,ge 84**
lädt←laden	
lag, läge←liegen	
lagern (sich *acc*)	*wk*,h,ge 184
lähmen	*wk*,h,ge 76
landen	*wk*,s,ge 106
langweilen (sich *acc*)	*wk*,h,ge 76
las, läse←lesen	
lassen	***st*,h,ge 85**
läßt←lassen	
laufen	***st*,s,ge 86**
lauschen	*wk*,h,ge 76
leben	*wk*,h,ge 76
lecken	*wk*,h,ge 76
leeren	*wk*,h,ge 76
legen	*wk*,h,ge 76
lehnen (sich *acc*)	*wk*,h,ge 76

Verb	
nachgewiesen←nach|weisen	
nach|holen	*wk*,h,ge 4
nach|lassen	*st*,h,ge 85
nach|machen	*wk*,h,ge 4
nach|prüfen	*wk*,h,ge 4
nach|sehen	*st*,h,ge 142
nach|senden	*mi*,h,ge 144
nach|weisen	*st*,h,ge 188
nach|zahlen	*wk*,h,ge 4
nähen	*wk*,h,ge 76
nähern (sich *acc*)	*wk*,+*dat*,h,ge 184
nahm, nähme←nehmen	
nähren (sich *acc*)	*wk*,h,ge 76
nannte←nennen	
nehmen	***st*,h,ge 98**
neiden	*wk*,h,ge 106
neigen	*wk*,h,ge 76
nennen	***mi*,h,ge 99**
nicken	*wk*,h,ge 76
niesen	*wk*,h,ge 103
nimmst, nimmt←nehmen	
nominieren	*wk*,h 165
nörgeln	*wk*,h,ge 69
nötigen	*wk*,h,ge 76
nutzen	*wk*,h,ge 74
nützen	*wk*,h,ge 74
offenbaren	*wk*,h,ge 76
öffnen	*wk*,h,ge 105
ohrfeigen	*wk*,h,ge 76
ölen	*wk*,h,ge 76
opfern (sich *acc*)	*wk*,h,ge 184
ordnen	*wk*,h,ge 105
orientieren (sich *acc*)	*wk*,h 165
paaren (sich *acc*)	*wk*,h,ge 76
packen	*wk*,h,ge 76
parken	*wk*,h,ge 76
passen	*wk*,+*dat*,h,ge 66
passieren	*wk*,s 165
pendeln	*wk*,h/s,ge 69
pfeffern	*wk*,h,ge 184
pfeifen	***st*,h,ge 100**
pfiff←pfeifen	
pflanzen	*wk*,h,ge 74
pflastern	*wk*,h,ge 184
pflegen	*wk*,h,ge 76
pflücken	*wk*,h,ge 76
photographieren	*wk*,h 165
pilgern	*wk*,s,ge 184
plädieren	*wk*,h 165
plagen (sich *acc*)	*wk*,h,ge 76
planen	*wk*,h,ge 76
platzen	*wk*,s,ge 74
plaudern	*wk*,h,ge 184
plündern	*wk*,h,ge 184
polstern	*wk*,h,ge 184
prahlen	*wk*,h,ge 76
praktizieren	*wk*,h 165
präsentieren	*wk*,h 165
predigen	*wk*,h,ge 76
preisen	***st*,h,ge 101**
pressen	*wk*,h,ge 66
pries←preisen	
proben	*wk*,h,ge 76
produzieren	*wk*,h 165
profitieren	*wk*,h 165
prophezeien	*wk*,h 165
protestieren	*wk*,h 165
prüfen	*wk*,h,ge 76
prügeln (sich *acc*)	*wk*,h,ge 69
pudern	*wk*,h,ge 184
pumpen	*wk*,h,ge 76
putschen	*wk*,h,ge 76
putzen	*wk*,h,ge 74
quälen (sich *acc*)	*wk*,h,ge 76
qualifizieren sich *acc*	*wk*,h 165

säumen	*wk*,h,ge 76
schaden	*wk*,+*dat*,h,ge 106
schaffen	***st*,h,ge 117**
schaffen	*wk*,h,ge 76
schälen	*wk*,h,ge 76
schallen	***st*,h,ge 118**
schalt←schelten	
schalten	*wk*,h,ge 2
schämen	*wk*,+*gen*,h,ge 45
sich *acc:+gen*	
schärfen	*wk*,h,ge 76
schätzen	*wk*,h,ge 74
schauen	*wk*,h,ge 76
schaukeln	*wk*,h,ge 69
schäumen	*wk*,h,ge 76
scheiden	***st*,h/s,ge 119**
scheinen	***st*,h,ge 120**
scheitern	*wk*,s,ge 184
schelten	***st*,h,ge 121**
schenken	*wk*,h,ge 76
scheren	***st*,h,ge 122**
scheuen	*wk*,h,ge 76
(sich *acc*)	
schicken	*wk*,h,ge 76
schieben	***st*,h,ge 123**
schied←scheiden	
schien←scheinen	
schießen	***st*,h,ge 124**
schildern	*wk*,h,ge 184
schiltst, schilt←schelten	
schimmeln	*wk*,h,ge 69
schimpfen	*wk*,h,ge 76
schlachten	*wk*,h,ge 2
schlafen	***st*,h,ge 125**
schläft←schlafen	
schlagen	***st*,h,ge 126**
schlägt←schlagen	
schlang, schlänge←schlingen	
schlängeln	*wk*,h,ge 69
sich *acc*	
schleichen	***st*,s,ge 127**
schleifen	***st*,h,ge 128**
schlendern	*wk*,s,ge 184
schleudern	*wk*,h/s,ge 184
schlich←schleichen	
schlief, schliefe←schlafen	
schließen	***st*,h,ge 129**
schliff←schleifen	
schlingen	***st*,h,ge 130**
schloß, schlösse←schließen	
schluchzen	*wk*,h,ge 74
schlug, schlüge←schlagen	
schlüpfen	*wk*,s,ge 74
schmachten	*wk*,h,ge 2
schmecken	*wk*,+*dat*,h,ge 74
schmeicheln	*wk*,+*dat*,h,ge 69
schmeißen	***st*,h,ge 131**
schmelzen	***st*,h,ge 132**
schmerzen	*wk*,h,ge 74
schmieden	*wk*,h,ge 106
schmilzt←schmelzen	
schminken	*wk*,h,ge 76
(sich *acc*)	
schmiß, schmisse←schmeißen	
schmolz, schmölze←schmelzen	
schmuggeln	*wk*,h,ge 69
schmutzen	*wk*,h,ge 74
schnarchen	*wk*,h,ge 76
schneiden	***st*,h,ge 133**
schneidern	*wk*,h,ge 184
schneien	*wk*,h/s,ge 76
schneuzen	*wk*,h,ge 74
sich *acc*	
schnitt(e)←schneiden	
schnuppern	*wk*,h,ge 184
schob, schöbe←schieben	
scholl, schölle←schallen	
schölte←schelten	
schonen	*wk*,h,ge 76
(sich *acc*)	
schöpfen	*wk*,h,ge 76
schor, schöre←scheren	
schoß, schösse←schießen	
schrauben	*wk*,h,ge 76

schreiben	*st*,h,ge 134
schreien	***st*,h,ge 135**
schreiten	***st*,s,ge 136**
schrie(e)←schreien	
schrieb(e)←schreiben	
schritt←schreiten	
schubsen	*wk*,h,ge 103
schuf, schüfe←schaffen	
schulden	*wk*,h,ge 106
schulen	*wk*,h,ge 76
schütteln	*wk*,h,ge 69
schütten	*wk*,h,ge 2
schützen	*wk*,h,ge 74
schwächen	*wk*,h,ge 76
schwamm←schwimmen	
schwand, schwände← schwinden	
schwang, schwänge←schwingen	
schwanken	*wk*,h,ge 76
schwänzen	*wk*,h,ge 74
schwärmen	*wk*,h,ge 76
schwatzen	*wk*,h,ge 74
schweben	*wk*,h/s,ge 76
schweigen	***st*,h,ge 137**
schwellen	***st*,s,ge 138**
schwieg(e)←schweigen	
schwillst, schwillt←schwellen	
schwimmen	***st*,s,ge 139**
schwindeln	*wk*,h,ge 69
schwinden	*st*,s,ge 180
schwingen	***st*,h,ge 140**
schwitzen	*wk*,h,ge 74
schwoll, schwölle←schwellen	
schwor←schwören	
schwören	***st*,h,ge 141**
schwüre←schwören	
segeln	*wk*,h/s,ge 69
segnen	*wk*,h,ge 105
sehen	***st*,h,ge 142**
sehnen sich *acc*	*wk*,h,ge 76
seid←sein	
sein	***st*,s,ge 143**
senden	***mi*,h,ge 144**
senken	*wk*,h,ge 76
servieren	*wk*,h 165
setzen sich *acc*	*wk*,h,ge 74
seufzen	*wk*,h,ge 74
sichern sich *acc*	*wk*,h,ge 184
siegen	*wk*,h,ge 76
siehst, sieht←sehen	
sind←sein	
singen	***st*,h,ge 145**
sinken	***st*,h,ge 146**
sinnen	***st*,h,ge 147**
sitzen	***st*,h,ge 148**
sitzen|bleiben	*st*,s,ge 18
ski|fahren	*st*,s,ge 35
soff, söffe←saufen	
sog, söge←saugen	
sollen	***mo*,h,ge 149**
sonnen sich *acc*	*wk*,h,ge 45
sorgen (sich *acc*)	*wk*,h,ge 76
spann←spinnen	
spannen	*wk*,h,ge 76
sparen	*wk*,h,ge 76
spazieren|gehen	*st*,s,ge 51
speien	***st*,h,ge 150**
speisen	*wk*,h,ge 74
spenden	*wk*,h,ge 106
sperren	*wk*,h,ge 76
spie(e)←speien	
spielen	*wk*,h,ge 76
spinnen	***st*,h,ge 151**
spönne←spinnen	
spotten	*wk*,h,ge 2
sprach, spräche←sprechen	
sprang, spränge←springen	
sprechen	***st*,h,ge 152**
sprengen	*wk*,h,ge 76

sprichst, spricht←sprechen
sprießen ***st*,s,ge 153**
springen ***st*,s,ge 154**
spritzen *wk*,h,ge 74
sproß, sprösse←sprießen
sprudeln *wk*,h/s,ge 69
spucken *wk*,h,ge 76
spülen *wk*,h,ge 76
spüren *wk*,h,ge 76
stach, stäche←stechen
stahl, stähle←stehlen
stammen *wk*,h,ge 76
starren *wk*,h,ge 76
starten *wk*,h/s,ge 2
statt|finden *st*,h,ge 39
stattgefunden←statt|finden
staunen *wk*,h,ge 76
stechen ***st*,h,ge 155**
stecken *wk*,h,ge 76
stecken ***st*,h,ge 156**
stehen ***st*,h,ge 157**
stehen|bleiben *st*,s,ge 18
stehengeblieben←stehen|bleiben
stehlen ***st*,h,ge 158**
steigen ***st*,s,ge 159**
steigern *wk*,h,ge 184
stellen *wk*,h,ge 76
stempeln *wk*,h,ge 69
sterben ***st*,s,ge 160**
steuern *wk*,h,ge 184
stichst, sticht←stechen
sticken *wk*,h,ge 76
stieg(e)←steigen
stiehlst, stiehlt←stehlen
stieß←stoßen
stimmen *wk*,h,ge 76
stinken ***st*,h,ge 161**
stirbst, stirbt←sterben
stöhnen *wk*,h,ge 76
stolpern *wk*,s,ge 184
stopfen *wk*,h,ge 76
stören *wk*,h,ge 76
stoßen ***st*,h/s,ge 162**
stößt←stoßen
strafen *wk*,h,ge 76
strahlen *wk*,h,ge 76
streben *wk*,h,ge 76
streichen ***st*,h/s,ge 163**
streifen *wk*,h/s,ge 76
streiken *wk*,h,ge 76
streiten ***st*,h,ge 164**
streuen *wk*,h,ge 76
strich←streichen
stricken *wk*,h,ge 76
stritt←streiten
strömen *wk*,s,ge 76
studieren ***wk*,h 165**
stünde←stehen
stürmen *wk*,h/s,ge 76
stürzen (sich *acc*) *wk*,h/s,ge 74
subtrahieren *wk*,h 165
suchen *wk*,h,ge 76
sündigen *wk*,h,ge 76
süßen *wk*,h,ge 66
tadeln *wk*,h,ge 69
tagen *wk*,h,ge 76
tanken *wk*,h,ge 76
tanzen *wk*,h/s,ge 74
tapezieren *wk*,h 165
tarnen *wk*,h,ge 76
tat←tun
tauchen *wk*,h/s,ge 76
tauen *wk*,h/s,ge 76
taufen *wk*,h,ge 76
taugen *wk*,h,ge 76
taumeln *wk*,s,ge 69
tauschen *wk*,h,ge 76
täuschen (sich *acc*) *wk*,h,ge 76
teilen *wk*,h,ge 76
teil|nehmen *st*,h,ge 98
telefonieren *wk*,h 165
testen *wk*,h,ge 2

überwachen *wk,ins*,h 30
überwältigen *wk,ins*,h 30
überweisen *st,ins*,h 188
über|werfen *st*,h,ge 192
überwerfen *st,ins*,h 192
(sich *acc*)
überwiegen *st,ins*,h 193
überwiesen← überweisen
überwinden *st,ins*,h 194
überworfen← überwerfen
überzeugen *wk,ins*,h 30
um|arbeiten *wk*,h,ge 2
umbenannt← um|benennen
um|benennen *mi*,h 99
um|blättern *wk*,h,ge 4
um|bringen *st*,h,ge 22
(sich *acc*)
um|fallen *st*,s,ge 36
umfassen *wk,ins*,h 4
um|gehen *st*,s,ge 51
umgehen *st,ins*,h 51
um|gestalten *wk*,h 30
ptp umgestaltet
um|graben *st*,h,ge 64
unterhalten *st,ins*,h 68
(sich *acc*)
unter|kommen *st*,s,ge 81
unterlassen *st,ins*,h 85
unterliegen *st,ins*,h/s 90
unternehmen *st,ins*,h 98
unter|ordnen *wk*,h,ge 105
(sich *acc*)
unterrichten *wk,ins*,h 2
(sich *acc*)
untersagen *wk,ins*,h 30
unterschätzen *wk,ins*,h 74
unterscheiden *st,ins*,h 133
(sich *acc*)
unterschieben *st,ins*,h 123
unter|schieben *st*,h,ge 123
unterschreiben *st,ins*,h 134
unterstehen *st,ins*,h 157
unter|stellen *wk*,h,ge 4
unterstellen *wk,ins*,h 30
unterstreichen *st,ins*,h 163
unterstützen *wk,ins*,h 74
untersuchen *wk,ins*,h 30
unterweisen *st,ins*,h 188
unterwerfen *st,ins*,h 192
unterzeichnen *wk,ins*,h 105
unterziehen *st,ins*,h 199
urteilen *wk*,h,ge 76
verabreden *wk,ins*,h 106
(sich *acc*)
verabscheuen *wk,ins*,h 30
verabschieden *wk,ins*,h 106
(sich *acc*)
verachten *wk,ins*,h 2
verallgemeinern *wk,ins*,h 184
veralten *wk,ins*,s 2
verändern *wk,ins*,h 184
veranlassen *wk,ins*,h 177
veranstalten *wk,ins*,h 2
verantworten *wk,ins*,h 2
verärgern *wk,ins*,h 184
verarzten *wk,ins*,h 2
veräußern *wk,ins*,h 184
verbarg← verbergen
verbauen *wk,ins*,h 177
verbergen *st,ins*,h 9
verbessern *wk,ins*,h 184
verbeugen *wk,ins*,h 177
sich *acc*
verbieten *st,ins*,h 14
verbinden *st,ins*,h 15
verbirgst, verbirgt← verbergen
verblüffen *wk,ins*,h 177
verblühen *wk,ins*,s 177
verbluten *wk,ins*,s 2
verborgen← verbergen
verbot, verboten← verbieten
verbrauchen *wk,ins*,h 177
verbrechen *st,ins*,h 46
verbrennen *mi,ins*,h/s 21

(sich *acc*)
verbringen *st,ins*,h 22
verdacht(e)←verdenken
verdächtigen *wk,ins*,h 177
verdanken *wk,+dat,ins*,h 177
verdarb←verderben
verdauen *wk,ins*,h 177
verdenken *mi,ins*,h 23
verderben ***st,ins,h/s* 174**
verdeutschen *wk,ins*,h 177
verdienen *wk,ins*,h 177
verdirbst, verdirbt←verderben
verdoppeln *wk,ins*,h 69
verdorben←verderben
verdrießen ***st,ins,h* 175**
verdroß, verdrösse←verdrießen
verdrossen←verdrießen
verdunkeln *wk,ins*,h 69
(sich *acc*)
verdürbe←verderben
verehren *wk,ins*,h 177
vereinbaren *wk,ins*,h 177
vereinen *wk,ins*,h 177
vereinfachen *wk,ins*,h 177
vereinigen *wk,ins*,h 177
(sich *acc*)
verenden *wk,ins*,s 106
vererben *wk,ins*,h 30
verfahren *st,ins*,s 35
verfallen *st,ins*,s 36
verfälschen *wk,ins*,h 177
verfassen *wk,ins*,h 177
verfolgen *wk,ins*,h 177
verfügen *wk,ins*,h 177
verführen *wk,ins*,h 177
vergab, vergäbe←vergeben
vergaß, vergäße←vergessen
vergeben *st,ins*,h 49
vergegenwärtigen *wk,ins*,h 177
sich *dat*
vergehen *st,ins*,h/s 51
(sich *acc*)
vergessen ***st,ins,h* 176**
vergißt←vergessen
vergleichen *st,ins*,h 61
verglich(en)←vergleichen
vergrößern *wk,ins*,h 184
verhaften *wk,ins*,h 2
verhalten *st,ins*,h 68
sich *acc*
verhandeln *wk,ins*,h 69
verheiraten *wk,ins*,h 2
(sich *acc*)
verhielt(e)←verhalten
verhindern *wk,ins*,h 184
verhören *wk,ins*,h 177
(sich *acc*)
verhungern *wk,ins*,s 184
verhüten *wk,ins*,h 2
verirren *wk,ins*,h 177
sich *acc*
verkaufen *wk,ins*,h 177
verkleiden *wk,ins*,h 106
(sich *acc*)
verkleinern *wk,ins*,h 184
(sich *acc*)
verkörpern *wk,ins*,h 184
verkünden *wk,ins*,h 106
verkürzen *wk,ins*,h 74
verladen *st,ins*,h 84
verlagern *wk,ins*,h 184
verlangen ***wk,ins,h* 177**
verlassen *st,ins*,h 85
verlaufen *st,ins*,s/h 86
(sich *acc*)
verlegen *wk,ins*,h 177
(sich *acc*)
verleihen *st,ins*,h 88
verlernen *wk,ins*,h 177
verletzen *wk,ins*,h 74
(sich *acc*)
verlieben *wk,ins*,h 177
sich *acc*
verlieren ***st,ins,h* 178**

verloben *wk,ins*,h 177
sich *acc*
verlor, verlöre←verlieren
verloren←verlieren
verlorengegangen←verloren|-gehen
verloren|gehen *st*,s,ge 51
verlöschen *wk,ins*,s 177
vermeiden *st,ins*,h 93
vermieten *wk,ins*,h 2
vernachlässigen *wk,ins*,h 177
vernichten *wk,ins*,h 2
veröffentlichen *wk,ins*,h 177
verpflichten *wk,ins*,h 2
verraten *st,ins*,h 104
verreisen *wk,ins*,s 103
verrotten *wk,ins*,h 2
versagen *wk,ins*,h 177
versammeln *wk,ins*,h 69
(sich *acc*)
versäumen *wk,ins*,h 177
verschaffen *wk,ins*,h 177
(sich *dat*)
verschärfen *wk,ins*,h 177
(sich *acc*)
verschieben *st,ins*,h 123
verschlafen *st,ins*,h 125
verschlechtern *wk,ins*,h 184
(sich *acc*)
verschleißen ***st,ins,*h/s 179**
verschließen *st,ins*,h 129
(sich *acc*)
verschlossen←verschließen
verschoben←verschieben
verschonen *wk,ins*,h 177
verschreiben *st,ins*,h 134
verschweigen *st,ins*,h 137
verschwiegen←verschweigen
verschwinden ***st,ins*,s 180**
verschwunden←verschwinden
versichern *wk,ins*,h 184
(sich *acc:+gen*)

versöhnen *wk,ins*,h 177
(sich *acc*)
versprechen *st,ins*,h 152
versprochen←versprechen
verstanden←verstehen
verstehen *st,ins*,h 157
versuchen *wk,ins*,h 177
vertan←vertun
verteidigen *wk,ins*,h 177
(sich *acc*)
verteilen *wk,ins*,h 177
(sich *acc*)
vertiefen *wk,ins*,h 177
(sich *acc*)
vertragen *st,ins*,h 166
vertrauen *wk,ins,+dat*,h 177
(sich *dat*)
vertreiben *st,ins*,h 168
vertreten *st,ins*,h 169
vertrieben←vertreiben
vertun *st,ins*,h 172
(sich *acc*)
verunglücken *wk,ins*,s 177
verursachen *wk,ins*,h 177
verurteilen *wk,ins*,h 177
vervielfältigen *wk,ins*,h 177
verwandeln *wk,ins*,h 69
(sich *acc*)
verwandte, verwandt←verwenden
verwechseln *wk,ins*,h 69
verweigern *wk,ins*,h 184
verweisen *st,ins*,h 188
verwenden *mi,ins*,h 189
verwirren *wk,ins*,h 177
(sich *acc*)
verwöhnen *wk,ins*,h 177
(sich *acc*)
verwundern *wk,ins*,h 184
(sich *acc*)
verzehren *wk,ins*,h 177
(sich *acc*)

verzeichnen	*wk,ins*,h 105
verzeihen	***st,ins*,h 181**
verzerren	*wk,ins*,h 177
verzichten	*wk,ins*,h 2
verzieh, verziehen←verzeihen	
verzieren	*wk,ins*,h 177
verzögern (sich *acc*)	*wk,ins*,h 184
verzollen	*wk,ins*,h 177
vollenden	*wk,ins*,h 106
vollstrecken	*wk,ins*,h 30
voran|gehen	*st,+dat*,s,ge 51
voran|kommen	*st*,s,ge 81
voraus|gehen	*st*,s,ge 51
voraus|sagen	*wk*,h,ge 4
voraus|setzen	*wk*,h,ge 74
vor|behalten sich *acc*, *ptp* vorbehalten	*st*,h 68
vorbei|kommen	*st*,s,ge 81
vor|bereiten (sich *acc*), *ptp* vorbereitet	*wk*,h 2
vor|beugen (sich *acc*)	*wk,+dat*,h,ge 4
vor|bringen	*mi*,h,ge 22
vor|fallen	*st*,s,ge 36
vor|finden	*st*,h,ge 39
vor|führen	*wk*,h,ge 4
vor|gehen	*st*,s,ge 51
vor|haben	*st*,h,ge 67
vor|halten	*st*,h,ge 68
vor|herrschen	*wk*,h,ge 4
vorher|sagen	*wk*,h,ge 4
vor|kommen	*st,+dat*,s,ge 81
vor|laden	*st*,h,ge 84
vor|merken	*wk*,h,ge 4
vor|nehmen (sich *dat*)	*st*,h,ge 98
vor|rücken	*wk*,h,ge 4
vor|schlagen	*st*,h,ge 126
vor|schreiben	*st*,h,ge 134
vor|sehen (sich *acc*)	*st*,h,ge 142
vor|stellen (sich *acc*)	*wk*,h,ge 4
vor|täuschen	*wk*,h,ge 4
vor|tragen	*st*,h,ge 166
vorüber|gehen	*st*,s,ge 51
vor|werfen	*st*,h,ge 192
vor|ziehen	*st*,h,ge 199
wachen	*wk*,h,ge 76
wach|halten	*st*,h,ge 68
wachsen	***st*,s,ge 182**
wachsen	*wk*,h,ge 103
wächst←wachsen	
wackeln	*wk*,h/s,ge 69
wagen	*wk*,h,ge 76
wägen	***st*,h,ge 183**
wählen	*wk*,h,ge 76
wahr|nehmen	*st*,h,ge 98
wälzen (sich *acc*)	*wk*,h,ge 74
wand, wände←winden	
wandern	***wk*,s,ge 184**
wandte←wenden	
wappnen sich *acc*	*wk*,h,ge 105
war, wäre←sein	
warb←werben	
warf←werfen	
wärmen	*wk*,h,ge 76
warnen	*wk*,h,ge 76
warten	*wk*,h,ge 2
waschen (sich *acc/dat*)	***st*,h,ge 185**
wäscht←waschen	
wässern	*wk*,h,ge 184
waten	*wk*,s,ge 2
weben	*wk*,h,ge 76
weben	***st*,h,ge 186**
wechseln	*wk*,h,ge 69
wecken	*wk*,h,ge 76
weg|fahren	*st*,s,ge 35
weg|fallen	*st*,s,ge 36
weg|fliegen	*st*,s,ge 41

weg|gehen *st*,s,ge 51
weg|kommen *st*,s,ge 81
weg|lassen *st*,h,ge 85
weg|laufen *st*,s,ge 86
weg|nehmen *st*,h,ge 98
weg|schaffen *wk*,h,ge 4
weg|werfen *st*,h,ge 192
wehen *wk*,h,ge 76
wehren *wk*,h,ge 76
(sich *acc*)
weh|tun *st*,h,ge 172
weichen ***st*,+dat,s,ge 187**
weiden *wk*,h,ge 106
(sich *acc*)
weigern *wk*,h,ge 184
sich *acc*
weinen *wk*,h,ge 76
weisen ***st*,h,ge 188**
weißen *wk*,h,ge 66
weiß, weißt←wissen
weiter|fahren *st*,h/s,ge 35
weiter|gehen *st*,s,ge 51
welken *wk*,s,ge 76
wenden ***mi*,h,ge 189**
(sich *acc*)
werben ***st*,h,ge 190**
werden ***st*,s,ge 191**
werfen ***st*,h,ge 192**
werten *wk*,h,ge 2
wetteifern *wk*,h,ge 184
wetten *wk*,h,ge 2
wich←weichen
wickeln *wk*,h,ge 69
(sich *acc*)
widerfahren *st*,*ins*,s 35
wider|hallen *wk*,h,ge 4
widerlegen *wk*,*ins*,h 30
widerrufen *st*,*ins*,h 114
widersetzen *wk*,*ins*,h 74
sich *acc:+dat*
wider|spiegeln *wk*,h,ge 69
(sich *acc*)
widersprechen *st*,*ins*,*+dat*,h 152
(sich *dat*)
widerstehen *st*,*ins*,*+dat*,h 157
widerstreben *wk*,*ins*,h 30
widmen *wk*,h,ge 3
(sich *acc*)
wieder|geben *st*,h,ge 49
wiedergut|machen *wk*,h,ge 4
wiederholen *wk*,h 30
wieder|holen *wk*,h,ge 4
wieder|kehren *wk*,s,ge 4
wieder|kommen *st*,s,ge 81
wieder|sehen *st*,h,ge 142
(sich *acc*)
wiegen ***st*,h,ge 193**
wiegen *wk*,h,ge 76
wiehern *wk*,h,ge 184
wies←weisen
will←wollen
winden ***st*,h,ge 194**
(sich *acc*)
winken *wk*,h,ge 76
wirbst, wirbt←werben
wird←werden
wirfst, wirft←werfen
wirken *wk*,h,ge 76
wirst←werden
wirtschaften *wk*,h,ge 2
wischen *wk*,h,ge 76
wissen ***st*,h,ge 195**
wob, wöbe←weben
wog, wöge←wiegen
wohnen *wk*,h,ge 76
wollen ***mo*,h,ge 196**
wringen ***st*,h,ge 197**
wuchern *wk*,h/s,ge 184
wuchs, wüchse←wachsen
wühlen *wk*,h,ge 76
(sich *acc*)
wundern *wk*,h,ge 184
sich *acc*
wünschen *wk*,h,ge 76

(sich *dat*)
würbe←werben
wurde, würde←werden
würdigen *wk*,h,ge 76
würfe←werfen
würfeln *wk*,h,ge 69
würgen *wk*,h,ge 76
würzen *wk*,h,ge 74
wusch, wüsche←waschen
wußte, wüßte←wissen
zacken *wk*,h,ge 76
zahlen *wk*,h,ge 76
zählen *wk*,h,ge 76
zähmen *wk*,h,ge 3
zanken *wk*,h,ge 76
(sich *acc*)
zappeln *wk*,h,ge 69
zaubern *wk*,h,ge 184
zaudern *wk*,h,ge 184
zausen *wk*,h,ge 103
zedieren *wk*,h 165
zehren *wk*,h,ge 76
zeichnen *wk*,h,ge 105
zeigen *wk*,h,ge 76
(sich *acc*)
zeitigen *wk*,h,ge 76
zementieren *wk*,h 165
zensieren *wk*,h 165
zentralisieren *wk*,h 165
zentrieren *wk*,h 165
zerbrechen *st*,*ins*,h/s 20
zerbröckeln *wk*,*ins*,h/s 69
zerfallen *st*,*ins*,s 36
zerfetzen *wk*,*ins*,h 74
zerfleischen *wk*,*ins*,h 198
zergehen *st*,*ins*,s 51
zerkleinern *wk*,*ins*,h 184
zerknautschen *wk*,*ins*,h 198
zerlaufen *st*,*ins*,s 86
zerlegen *wk*,*ins*,h 198
zermürben *wk*,*ins*,h 198
zerreiben *st*,*ins*,h 107
zerreißen *st*,*ins*,h 108
(sich *acc*)
zerren *wk*,h,ge 76
zerrinnen *st*,*ins*,s 113
zerschlagen *st*,*ins*,h 126
(sich *acc*)
zerschneiden *st*,*ins*,h 133
zersetzen *wk*,*ins*,h 74
(sich *acc*)
zersplittern *wk*,*ins*,h 184
(sich *acc*)
zerstören ***wk*,*ins*,h 198**
zerstreuen *wk*,*ins*,h 198
(sich *acc*)
zertrampeln *wk*,*ins*,h 69
zertrennen *wk*,*ins*,h 198
zertrümmern *wk*,*ins*,h 184
zeugen *wk*,h,ge 76
ziehen ***st*,h/s,ge 199**
zielen *wk*;h,ge 76
ziepen *wk*,h,ge 76
zischen *wk*,h,ge 76
zittern *wk*,h,ge 184
zog, zöge←ziehen
zögern *wk*,h,ge 184
zu|bereiten *wk*,h 2
ptp zubereitet
züchten *wk*,h,ge 2
zucken *wk*,h,ge 76
zücken *wk*,h,ge 76
zu|erkennen *mi*,h 77
ptp zuerkannt
zu|fallen *st*,h,ge 36
zu|fügen *wk*,h,ge 4
zu|geben *st*,h,ge 49
zu|gehen *st*,s,ge 51
zu|hören *wk*,+*dat*,h,ge 4
zu|klappen *wk*,s,ge 4
zu|kleben *wk*,h,ge 4
zu|kommen *st*,s,ge 81
zu|lassen *st*,h,ge 85
zu|machen *wk*,h,ge 4